drapeaux et pavillons

Pavillon de guerre japonais de la Seconde Guerre
mondiale, avec le soleil levant

Guirlande
de fanions

Tigre ailé sur un drapeau
chinois du XIXᵉ siècle

Cimier héraldique
britannique avec un drapeau
portant la main rouge,
emblème de l'Ulster

drapeaux et pavillons

par

William Crampton

Photographies originales de Karl Stone et Martin Plomer

Insignes de la Première Guerre mondiale aux
couleurs de la France, de la Grande-Bretagne
et de la Belgique

Jeu de dés
du début du siècle

Fanion de traîneau d'une expédition
dans l'Antarctique, vers 1902

GALLIMARD

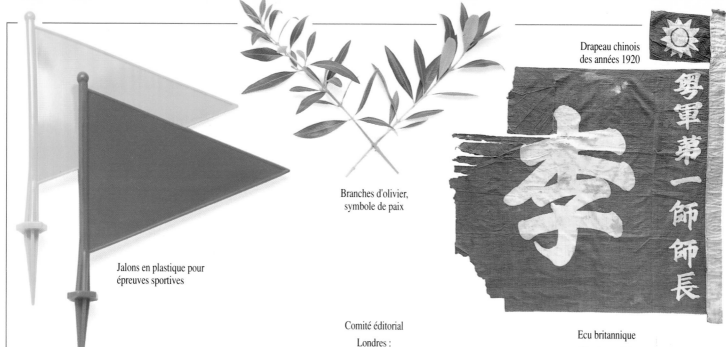

Drapeau chinois
des années 1920

Branches d'olivier,
symbole de paix

Jalons en plastique pour
épreuves sportives

Comité éditorial

Londres :

Peter Bailey, Julia Harris,
Sophie Mitchell, Roger Priddy, Sue Unstead et Phil Wilkinson

Paris :

Christine Baker et Claire d'Harcourt
Edition française préparée par
Pascale Froment
Conseiller : Hervé Pinoteau,
président de la Société française de vexillologie

Publié sous la direction de

Peter Kindersley,
Jean-Olivier Héron
et
Pierre Marchand

Ecu britannique

Sceau équestre
du roi Henri VIII d'Angleterre

Insigne du drapeau
espagnol

Fanion du quartier général d'une unité
britannique de commando, pendant la
Seconde Guerre mondiale

Timbre avec le drapeau
de l'armée de libération chinoise

Fanion de la Force Gazelle,
unité britannique au Soudan, en 1940

ISBN 2-07-056471-1
La conception de cette collection est le fruit d'une collaboration entre
les Editions Gallimard et Dorling Kindersley
Dorling Kindersley Limited Londres, 1989
© Editions Gallimard, Paris, 1989, pour l'édition française
Dépôt légal septembre 1989 N° d'édition 45987
Imprimé en Italie par A. Mondadori Editore, Verona

Fanion (ou guidon) de véhicule militaire

SOMMAIRE

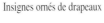

Insignes ornés de drapeaux

France, Grande-Bretagne, Belgique

Drapeaux soviétiques

Canada, Grande-Bretagne, Australie, Etats-Unis, Nouvelle-Zélande

Armée du Salut

Sahara occidental

QU'EST-CE QU'UN DRAPEAU ?

Le drapeau est en général une pièce d'étoffe flottante attachée à une hampe verticale rigide ou parfois suspendue horizontalement à une traverse. Il existe des drapeaux de toutes formes et de toutes tailles. Sur mer, ils s'appellent des pavillons et ils flottent en tête de mât ou à la corne, hissés sur une drisse. Au mouillage ou à quai, ils sont fixés sur des hampes ou des mâtereaux à l'avant ou à l'arrière du bateau. Aujourd'hui, la plupart des drapeaux sont en fibre synthétique mais ceux d'autrefois étaient en soie, en taffetas, en coton, en lin ou en laine. Leurs dessins sont obtenus soit en assemblant des tissus de différentes couleurs, soit par impression. Jadis, des motifs étaient peints ou brodés à même le champ (la surface) du drapeau, procédés que l'on utilise encore dans les armées ou les associations. Depuis la Renaissance, presque tous les pavillons sont rectangulaires, comme aujourd'hui presque tous les drapeaux nationaux et civils. Les drapeaux de guerre, eux, sont traditionnellement carrés. Certains pavillons de plaisance, les guidons, sont à pointes ou triangulaires.

Fabricants britanniques de drapeaux au début des années 1950.

Extrémité

Cabillot

Boucle

Hampe

Drisse
(longue
corde qui
court le long
du mât)

Manchon
contenant
la cordelette

Cordelette

Troisième
quartier

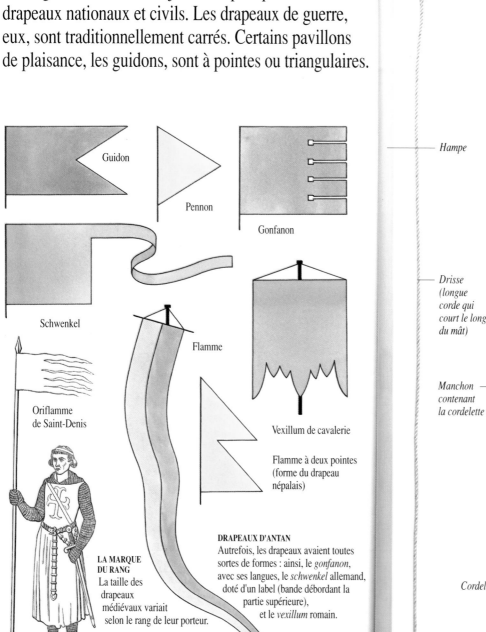

Guidon

Pennon

Gonfanon

Schwenkel

Flamme

Oriflamme
de Saint-Denis

Vexillum de cavalerie

Flamme à deux pointes
(forme du drapeau
népalais)

**LA MARQUE
DU RANG**
La taille des
drapeaux
médiévaux variait
selon le rang de leur porteur.

DRAPEAUX D'ANTAN
Autrefois, les drapeaux avaient toutes
sortes de formes : ainsi, le _gonfanon_,
avec ses langues, le _schwenkel_ allemand,
doté d'un label (bande débordant la
partie supérieure),
et le _vexillum_ romain.

L'ÉTENDARD DE GENGIS KHAN
Neuf flammes ornées de neuf queues de yack surmontées, à la hampe, de quatre queues de cheval : telle est la représentation traditionnelle de l'étendard à neuf «pieds» de Gengis Khan, maître de la Mongolie. Le gerfaut, dont il est orné, est l'emblème des Mongols. Les drapeaux chinois ont aussi des bords festonnés soigneusement décorés ainsi qu'une bordure de couleur, mais ils sont rarement chargés d'emblèmes.

LES DIFFÉRENTES PARTIES DU DRAPEAU
S'il est divisé en quatre, on appelle *quartier* chacune des parties du drapeau. S'il est divisé en trois à partir de la hampe, les trois parties portent respectivement les noms de *tiers à la hampe*, *tiers du milieu* et *tiers flottant*. Dans les autres cas, il est divisé en *cantons*. Le rectangle du coin supérieur à la hampe, souvent chargé d'un insigne ou d'un emblème, est aussi appelé *canton*, à condition qu'il occupe moins du quart du champ. A la hampe, les drapeaux comportent une partie cousue en tube creux, le *manchon*. C'est lui qui reçoit la *drisse* ou parfois la cordelette, elle-même cousue à l'intérieur, sur presque tous les modèles d'Europe. Les drapeaux américains, eux, ont un œillet en haut et en bas. La hampe des drapeaux d'intérieur ou de parade passe à travers le manchon, tandis que la drisse, ainsi que d'éventuels glands ou pompons sont souvent attachés à l'*extrémité* décorative. La dimension horizontale d'un drapeau s'appelle la *longueur*, et la verticale, la *largeur*. Dans la marine, on parle de *battant* et de *guindant*.

DÉCORATIONS MILITAIRES
Les drapeaux de guerre français suivent des modèles précis et sont ornés de franges dorées et de cravates (écharpes décoratives) attachées sous l'extrémité de la hampe. Ceux-ci portent les décorations de leur unité ainsi que son numéro.

RITUEL ET PROTOCOLE
Les drapeaux et pavillons de guerre sont hissés, transportés, pliés et rangés selon des règles strictes.

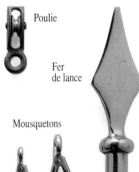

Deuxième quartier

Premier quartier, ou franc-quartier, ou emplacement du canton

Boucle

Poulie

Cabillot

Fer de lance

Mousquetons

Emerillon

Quatrième quartier

HAUT LES COULEURS!
Il y a plusieurs manières d'attacher le drapeau à la hampe. En Grande-Bretagne, on passe dans le manchon une cordelette terminée par un cabillot et une boucle, la cordelette étant fixée à la drisse. Aux Etats-Unis, les drapeaux ont des œillets auxquels s'attachent des pinces (des mousquetons sur les pavillons). Les extrémités des hampes d'intérieur ou de parade sont très travaillées.

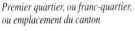

LE VEXILLOÏDE EST L'ANCÊTRE DU DRAPEAU

Dans l'Antiquité, on utilisait des hampes surmontées d'emblèmes pour afficher sa loyauté à un chef ou à un pays, et envoyer des signaux. La première trace de ces «vexilloïdes» vient de l'Égypte pré-dynastique où chaque province du royaume avait le sien. De même en Grèce, à Rome et au Moyen-Orient. Mais ce sont les anciens Romains qui en ont fait le plus grand usage : chaque corps d'armée possédait son propre drapeau, l'aigle figurant sur celui des légions. Ce sont encore eux qui ont inventé le drapeau d'étoffe occidental, le *vexillum*, suspendu horizontalement à la traverse d'une hampe. Les premiers drapeaux attachés latéralement sont apparus en Chine et se sont propagés au Proche-Orient avant d'être introduits en Occident par les Arabes. À cette époque, ils étaient presque toujours monochromes et il fallut attendre les Croisades pour que se généralisent les drapeaux portant des dessins. La croix devint le symbole des chrétiens tandis que les musulmans adoptèrent des drapeaux basés sur la calligraphie. En Amérique, les guerriers aztèques portaient les leurs sur le dos et ceux des Mexicains étaient en plumes.

IL Y A 5 500 ANS...
Sur cette poterie égyptienne pré-dynastique (3500 ans av. J.-C.), figure, à droite, une représentation très ancienne de vexilloïde.

MESSAGE PRÉHISTORIQUE
Le tout premier drapeau n'était sans doute qu'un bout de tissu noué à un bâton – un signal qu'on peut toujours utiliser pour attirer l'attention ou envoyer un message. Des teintes très vives, comme ce rouge, étaient obtenues avec des colorants naturels ou le sang de l'ennemi.

DRAPEAU OU ÉVENTAIL ?
Les anciens Egyptiens avaient des vexilloïdes qu'ils portaient ou fixaient sur leurs chars. Certains ressemblaient à des éventails, d'autres étaient des sculptures fixées sur des hampes.

LE TAUREAU DES ASSYRIENS
Les Assyriens possédaient un grand empire en Asie occidentale. Durant leurs nombreuses batailles, leurs auriges portaient des étendards sur lesquels figuraient deux taureaux, ou un archer sur le dos d'un taureau.

ÉTENDARDS ROMAINS
Les étendards romains des corps d'armée étaient variés mais tous comportaient des médailles et des insignes. L'un des ces deux modèles comprend un *vexillum* (voir ci-dessous) qui indique peut-être une récompense spéciale; la main, à l'extrémité de l'autre, est destinée à conjurer le mauvais œil. Les autres insignes étaient des effigies de l'empereur, des lauriers et des couronnes d'honneur.

RUE CHINOISE
Les drapeaux chinois ont pris des formes très diverses : éventails et banderoles, dont les couleurs comptaient beaucoup plus que les dessins.

L'extrémité de la hampe portait parfois un insigne de la légion

Figure peinte

Ornements en argent

LA FIERTÉ D'UNE LÉGION
Le *vexillum* romain était le premier vrai drapeau. Etendard du corps de cavalerie d'une légion, il était conçu pour être porté à cheval. Ce carré rouge foncé porte le nom d'une légion et son emblème. C'est une reconstitution moderne.

Nom de la légion (2e légion Augusta)

LEG II AVG

9

IL EST NÉ SOUS LE SIGNE DE L'HÉRALDIQUE

L'héraldique, qui désigne l'art des armoiries et leur connaissance, a exercé une grande influence sur les drapeaux : elle en a créé de nouveaux et a imposé les règles de base de leur dessin et de leur usage. Quiconque possède un blason peut aussi arborer des drapeaux héraldiques. Ce sont, traditionnellement, le long *étendard*, la *bannière* rectangulaire, le drapeau chargé d'un insigne – ou «petites armes» –, et la *flamme*.

Les armoiries sont composées de plusieurs éléments : l'*écu*, qui porte des symboles en rapport avec l'histoire ou le passé de la famille du porteur; les *supports* et les *tenants*, respectivement des animaux et des êtres humains flanquant l'écu; un *heaume* avec un *bourrelet*, des *lambrequins* et un *cimier* qui surmonte l'écu. Un *listel*, qui porte la devise, peut aussi y figurer. Les armes et les drapeaux héraldiques sont strictement personnels.

Les armoiries sont dessinées ou gravées sur l'écu, ou blason, dont la forme provient de celle des anciens boucliers en bois. Celui-ci orne un plafond médiéval.

LE SCEAU, GARANT D'AUTHENTICITÉ
Comme celui d'une ville ou d'un Etat, le blason personnel peut figurer sur les sceaux, qui portent soit les armoiries complètes, soit une représentation de leur porteur en armure. Leur usage remonte à la plus haute Antiquité et ils font l'objet d'une science : la sigillographie.

Bourrelet, ou «torque», aux couleurs des armes

Le cimier surmonte toujours le bourrelet ou la couronne

HEAUME D'APPARAT
Ce heaume n'est pas destiné à être porté. Il appartient à des armoiries et comporte un bourrelet et un cimier avec une aigle à deux têtes et une croix.

Heaume utilisé à l'occasion des tournois médiévaux

ÉTENDARDS ET ÉCUS
Les étendards héraldiques arborent les couleurs, les insignes et les devises de leurs porteurs. Certains de ces symboles apparaissent sur les écus.

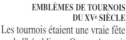

EMBLÈMES DE TOURNOIS DU XVᵉ SIÈCLE
Les tournois étaient une vraie fête de l'héraldique. On y présentait les armures, les armoiries et les bannières des participants. Cette illustration est extraite du *Livre des tournois du roi René*.

ARMES ROYALES
Sous le règne d'Henri VIII, les armoiries royales anglaises avaient comme supports le lion d'Angleterre et le dragon rouge du pays de Galles (un des emblèmes de la dynastie Tudor).

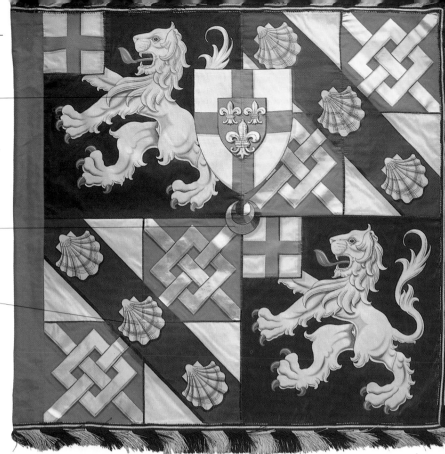

Armes de la famille Churchill

Brisure indiquant un fils cadet

Armes de la famille Spencer

POUR UN HÉROS NATIONAL
Le fond de la bannière armoriée de sir Winston Spencer Churchill, chevalier de la Jarretière, reproduit l'écu de son blason tandis que la bordure est aux principales couleurs de ses armes, le noir et le blanc. Celles-ci sont celles des familles Churchill et Spencer, dont il porte les noms.

Clous de girofle

Pivoine

SYMBOLIQUE ORIENTALE
L'héraldique japonaise utilise beaucoup d'emblèmes familiaux stylisés appelés *mon* : sur les drapeaux, en décoration, sur les éventails et les vêtements. A la différence des emblèmes héraldiques européens, ils n'ont pas de couleurs spécifiques et sont essentiellement des végétaux.

CHEVALIER EN ARMURE
Sir John Cornwall était un chevalier anglais du XVe siècle. Le voici représenté avec sa bannière armoriée et sa cotte d'armes. Derrière lui, un soldat porte une bannière aux armes d'un membre de la famille royale.

Bannière princière

Surcot

Bannière de sir John Cornwall

Ecu d'un prince français vaincu par ce chevalier

Bourrelet

Le cimier de Churchill est un lion qui tient un drapeau, ce qui est tout à fait inhabituel. En héraldique, on dit que ce lion est *séant* avec une patte levée.

AU DRAPEAU ON RECONNAÎT SES AMIS

Dans la confusion des champs de bataille, les drapeaux permettent de faire la différence entre alliés et ennemis. Ils ont été de tous les conflits d'antan, et aujourd'hui encore, les militaires les déploient sur terre et sur mer. Au Moyen Âge, ils servaient à reconnaître les gens et les groupes, comme nos actuels fanions d'automobiles ou comme les drapeaux qui flottent maintenant sur les quartiers généraux opérationnels. Lorsque les armées ont commencé à s'organiser, vers le XVIe siècle, leurs régiments et leurs compagnies ont peu à peu adopté des drapeaux, les «couleurs», souvent brodés de riches armoiries. On ne s'en sert plus guère que pour les cérémonies. Les drapeaux de guerre contemporains, sont plus résistants.

GUILLAUME LE CONQUÉRANT
A la bataille de Hastings, en 1066, les Normands avaient des petits drapeaux au bout de leurs lances, les *pennons*, que l'on peut voir sur la célèbre tapisserie de Bayeux. L'étendard de Guillaume le Conquérant lui avait été envoyé par le pape.

QUI ÉTAIT QUI ?
Les chevaliers du Moyen Age pouvaient facilement se reconnaître grâce aux emblèmes de leurs écus et à leurs bannières.

Initiales des Ringswood Light Dragoons (cavalerie légère de Ringswood)

Monogramme du roi George III

GUIDON DE 1802
Le guidon de cavalerie est le descendant de l'étendard médiéval. Il apparut en France lorsque les troupes royales remplacèrent le service féodal. Celui-ci, qui était porté à cheval, date des guerres napoléoniennes.

Emblème royal du cheval blanc de Hanovre

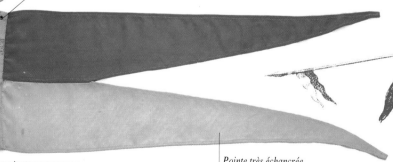

Lancier avec un pennon à son arme

Le manchon pouvait être cloué à la lance

Pointe très échancrée

EMBLÈME BRITANNIQUE
Les banderoles de l'armée britannique sont toujours bicolores – le rouge au-dessus du blanc – et à deux pointes. Celle-ci appartenait à une troupe de lanciers indiens.

LES LANCIERS
Même après l'apparition des armes à feu, on a continué à se battre avec des lances. Ainsi lors de la malheureuse charge de la brigade légère, pendant la guerre de Crimée, où de nombreux lanciers britanniques trouvèrent la mort.

UNE DÉFAITE SANGLANTE
Cette affiche de la Seconde Guerre mondiale
illustre les victoires américaines sur les Japonais.

LA CROIX GAMMÉE
Le svastika, célèbre emblème du parti
nazi, était à l'origine un symbole solaire
utilisé à maintes reprises avant de devenir
drapeau national allemand, en 1935
(remplacé en 1945, voir pp. 28 et 29).
Cette version servait de drapeau mural.

Union Jack

*La forme carrée
indique l'usage
mural*

PROPAGANDE ANTI-ALLEMANDE
Ce drapeau britannique, qui date
de la Première Guerre mondiale,
place les couleurs allemandes
de l'époque au-dessous
de l'Union Jack. La devise
Deutschland unter Alles
(l'Allemagne au-dessous de tout)
est une parodie de l'hymne
allemand.

*Drapeau
allemand*

UNE SEULE GUERRE
Un maquisard tend la main à un soldat des
Forces françaises libres. Cette affiche date
de la Seconde Guerre mondiale.

COULEURS ALLIÉES
Les Etats-Unis, la France, la Grande-
Bretagne et l'Italie figurent parmi les alliés
de la Première Guerre mondiale
représentés ici. Caractéristiques des
drapeaux militaires, les extrémités des
hampes sont décorées.

*Drapeaux
britannique,
français et belge*

*Armes
et drapeau
belges*

*Japon
(Soleil levant)*

France

*Russie
(enseigne navale)*

DRAPEAUX POUR TOUS...
Les emblèmes de drapeaux alliés,
courants pendant la Seconde
Guerre mondiale, revêtaient
une infinité de formes :
insignes, mouchoirs,
foulards, cartes
et jeux divers.

*Grande-
Bretagne*

Belgique

... ET POUR JOUER
Chaque face de ces dés
représente un drapeau allié.

EN CAS DE MALHEUR
Les drapeaux constituent
des symboles internationaux que
tout le monde comprend.
Aujourd'hui encore, ils permettent
de se reconnaître durant

Я англичанин

" Ya Anglicháhnin " *(Pronounced as spelt)*

Пожалуйста сообщите
сведения обо мне в
Британскую Военную
Миссию в Москве

*Please
communicate
my particulars
to British
Military Mission
Moscow*

un conflit. Ce morceau de tissu était porté par les aviateurs britanniques
qui combattaient en Europe de l'Est pendant la Seconde Guerre mondiale :
il porte un message («Je suis britannique»), ainsi que l'instruction de contacter
la mission militaire britannique la plus proche.

RAPIDE COMME PÉGASE
Le pavillon de la ligne maritime écossaise MacCann porte l'emblème classique de Pégase, le cheval ailé, pour symboliser la vitesse.

LES DRAPEAUX SONT CHARGÉS DE SENS

À travers leur symbolique, les drapeaux expriment souvent des idées qui exigeraient de longues phrases, s'il fallait les énoncer. Les thèmes symboliques sont variés, des animaux aux plantes, des armes aux objets de la vie quotidienne. Le lion de l'héraldique médiévale, par exemple, symbolisait à la fois la royauté et la bravoure. Les couleurs ont aussi leur signification : le rouge, qui représentait jadis le courage, la noblesse et le pouvoir, est devenu la couleur du pouvoir populaire, dans les drapeaux soviétiques et chinois notamment. Pour signifier la paix, on utilise le blanc et bleu – ainsi les Nations unies. Quant au vert, couleur de végétation, il est synonyme de liberté et d'espérance. Les idées religieuses ont été parmi les premières à prendre les drapeaux comme mode d'expression et la croix est parmi les plus anciens emblèmes héraldiques. Si sa combinaison avec une étoile est récente, le symbole du croissant musulman, lui, remonte au moins au XIVe siècle. L'épée à deux lames, autre emblème musulman, symbolise Ali, gendre du prophète, la loi islamique interdisant la représentation de Dieu et des êtres vivants. Il n'en va pas de même avec les dieux chinois ni avec les saints chrétiens, abondamment représentés sur les drapeaux d'autrefois. Plus près de nous, on peut citer le symbole soviétique de la faucille et du marteau, ainsi que la feuille d'érable canadienne.

La faucille et le marteau

PROLÉTAIRES DE TOUS LES PAYS...
Les outils des ouvriers et des paysans de la révolution russe ont été stylisés sur le drapeau soviétique.

Drapeau de l'URSS

LE CIMIER DE WELLINGTON
Le roi des animaux et le drapeau de la victoire se dressant au-dessus d'une couronne ont constitué le cimier idéal pour le duc de Wellington.

GUERRE SAINTE?
Le drapeau islamique vert est au premier plan de cette illustration d'une guerre tribale au Maroc, au XIXe siècle.

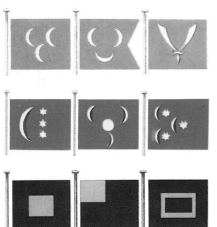

LE LANGAGE DES COULEURS
Les couleurs ont souvent un sens particulier. Le rouge et le vert, par exemple, étaient utilisés dans les pays musulmans, au XIXe siècle. Sur deux de ces drapeaux verts figure le croissant de l'Empire ottoman, tandis que sur le troisième, provenant d'un port d'Afrique du Nord, se trouve l'épée d'Ali. Les drapeaux rouges viennent de Turquie, d'Inde et d'Egypte. Les bleu et jaune sont des pavillons d'immatriculation du XIXe siècle indiquant le port d'origine des navires.

Drapeau du Canada

ÉRABLE CANADIEN
Pour faciliter la fabrication du drapeau canadien, la feuille d'érable rouge a été très stylisée, formant ainsi un nouvel emblème héraldique. C'est d'ailleurs le cas de tous les emblèmes de drapeaux et de blasons.

Feuille d'érable rouge

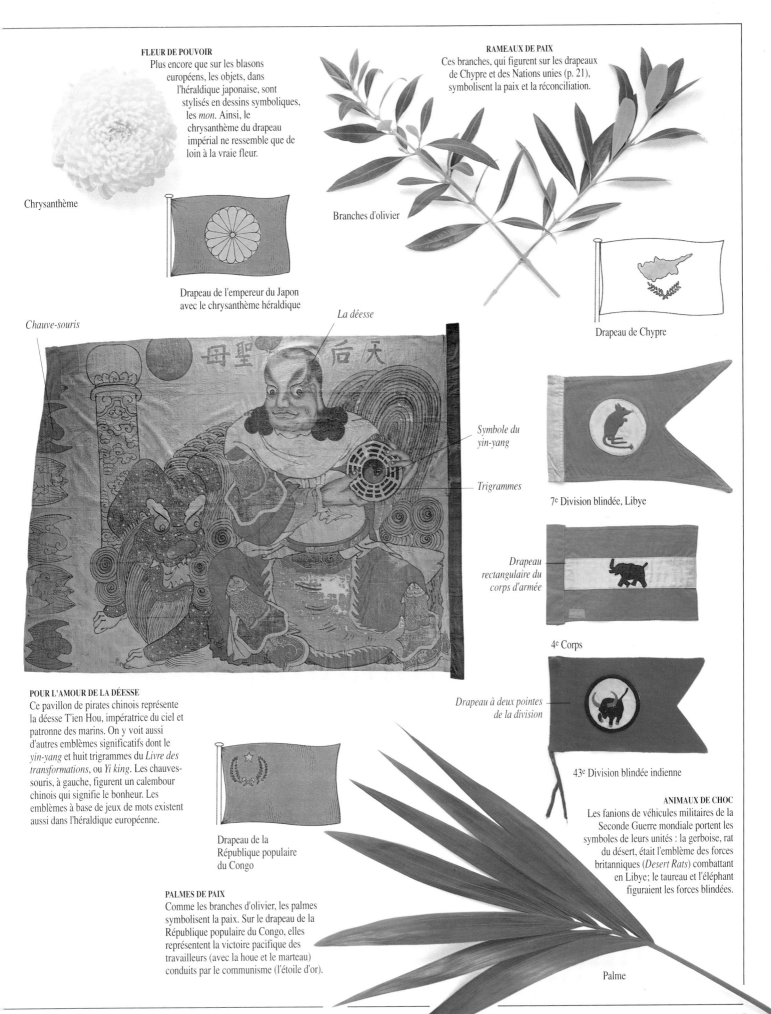

FLEUR DE POUVOIR

Plus encore que sur les blasons européens, les objets, dans l'héraldique japonaise, sont stylisés en dessins symboliques, les *mon*. Ainsi, le chrysanthème du drapeau impérial ne ressemble que de loin à la vraie fleur.

Chrysanthème

Drapeau de l'empereur du Japon avec le chrysanthème héraldique

RAMEAUX DE PAIX

Ces branches, qui figurent sur les drapeaux de Chypre et des Nations unies (p. 21), symbolisent la paix et la réconciliation.

Branches d'olivier

Drapeau de Chypre

Chauve-souris

La déesse

Symbole du yin-yang

Trigrammes

7e Division blindée, Libye

Drapeau rectangulaire du corps d'armée

4e Corps

Drapeau à deux pointes de la division

43e Division blindée indienne

POUR L'AMOUR DE LA DÉESSE

Ce pavillon de pirates chinois représente la déesse T'ien Hou, impératrice du ciel et patronne des marins. On y voit aussi d'autres emblèmes significatifs dont le *yin-yang* et huit trigrammes du *Livre des transformations*, ou *Yi king*. Les chauves-souris, à gauche, figurent un calembour chinois qui signifie le bonheur. Les emblèmes à base de jeux de mots existent aussi dans l'héraldique européenne.

Drapeau de la République populaire du Congo

PALMES DE PAIX

Comme les branches d'olivier, les palmes symbolisent la paix. Sur le drapeau de la République populaire du Congo, elles représentent la victoire pacifique des travailleurs (avec la houe et le marteau) conduits par le communisme (l'étoile d'or).

ANIMAUX DE CHOC

Les fanions de véhicules militaires de la Seconde Guerre mondiale portent les symboles de leurs unités : la gerboise, rat du désert, était l'emblème des forces britanniques (*Desert Rats*) combattant en Libye; le taureau et l'éléphant figuraient les forces blindées.

Palme

LES NAVIRES BATTENT PAVILLON

Les pavillons flottaient déjà sur les tout premiers navires de guerre et sur les plus anciens vaisseaux de commerce. Aujourd'hui encore, tous les bateaux battent pavillon : des innombrables transporteurs de passagers aux bateaux de plaisance. Au-dessus d'une certaine jauge, ils doivent porter leurs couleurs nationales, même si beaucoup ne le font pas. En pratique, cela signifie que le pavillon, national ou civil, ou bien l'enseigne navale doivent être hissés. À bord des navires américains, la bannière étoilée joue tous ces rôles à la fois tandis que, sur les navires britanniques, il faut déployer l'un des trois Pavillons. Une vingtaine de pays ont, comme la Grande-Bretagne, des pavillons national et civil différents. Quelques autres disposent d'un pavillon national à part pour les yachts. En outre, les lignes maritimes commerciales possèdent leurs propres pavillons. Lorsqu'un bateau entre dans un port étranger, la tradition veut qu'on hisse un «pavillon de courtoisie» : celui du pays d'accueil. À la sortie du port, on hisse un «pavillon de partance» – bleu à carré blanc au centre –, que les Britanniques appellent *Blue Peter*.

GRAND PAVOIS
A l'occasion de certaines fêtes ou cérémonies, on décore les navires avec tous les pavillons disponibles à bord – en fait, à l'aide des signaux du code : c'est le «grand pavois».

Soie damassée orange

Le yin-yang représente l'association des forces opposées

Trigrammes du Yi king

DRAPEAU PHILOSOPHIQUE
Cette flamme provient d'une jonque chinoise. Elle illustre quelques-unes des idées-forces de la pensée traditionnelle, avec, à la hampe, le symbole du *yin-yang*, et les huit trigrammes du *Livre des transformations*, ou *Yi king*, répartis sur toute la longueur du pavillon. Typiquement chinois, celui-ci a aussi les bords festonnés.

VAISSEAU AMIRAL
Le *Henri-Grâce-à-Dieu*, vaisseau amiral de la marine du roi Henri VIII, était décoré de pavillons anglais ou représentant la maison des Tudor. A cette époque, les couleurs du roi étaient le vert et le blanc.

PAVILLONS BRITANNIQUES
Le pavillon blanc (*White Ensign*) est exclusivement réservé à la Marine royale ou de guerre (Royal Navy). Les pavillons rouge et bleu sont destinés respectivement à la marine marchande et aux navires non armés du gouvernement.

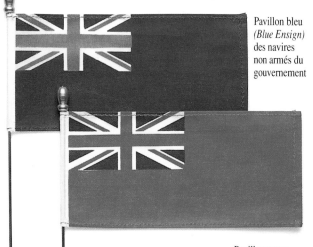

Pavillon bleu (*Blue Ensign*) des navires non armés du gouvernement

Pavillon rouge (*Red Ensign*), de la marine marchande

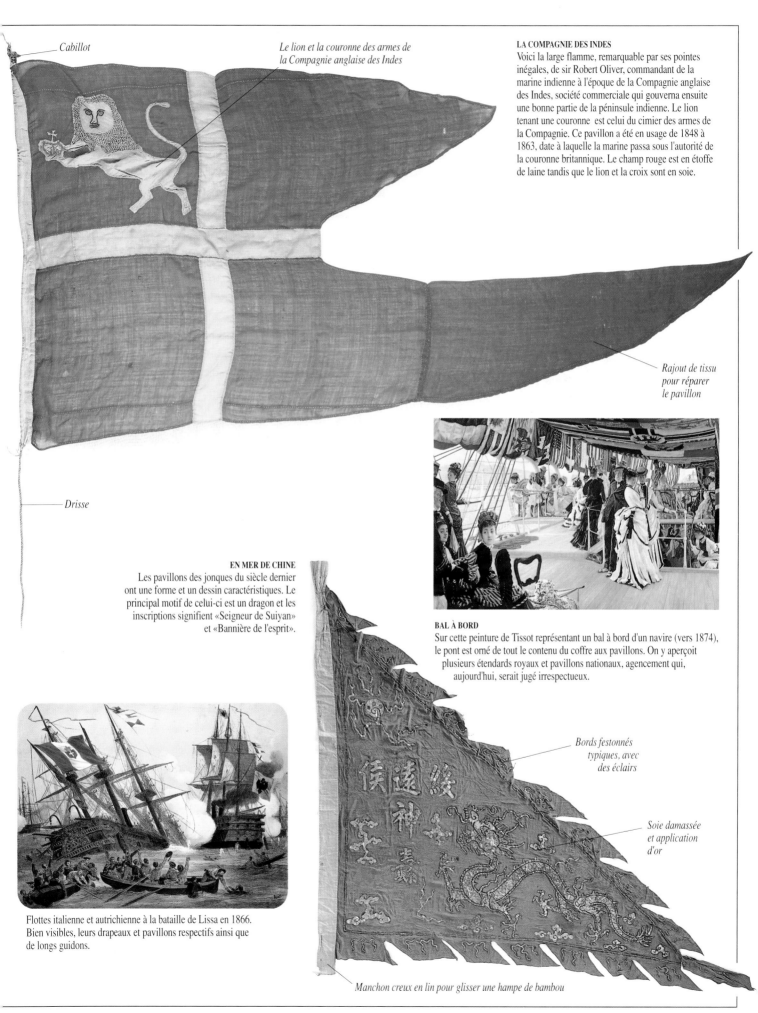

Cabillot

Le lion et la couronne des armes de
la Compagnie anglaise des Indes

LA COMPAGNIE DES INDES
Voici la large flamme, remarquable par ses pointes
inégales, de sir Robert Oliver, commandant de la
marine indienne à l'époque de la Compagnie anglaise
des Indes, société commerciale qui gouverna ensuite
une bonne partie de la péninsule indienne. Le lion
tenant une couronne est celui du cimier des armes de
la Compagnie. Ce pavillon a été en usage de 1848 à
1863, date à laquelle la marine passa sous l'autorité de
la couronne britannique. Le champ rouge est en étoffe
de laine tandis que le lion et la croix sont en soie.

Rajout de tissu
pour réparer
le pavillon

Drisse

EN MER DE CHINE
Les pavillons des jonques du siècle dernier
ont une forme et un dessin caractéristiques. Le
principal motif de celui-ci est un dragon et les
inscriptions signifient «Seigneur de Suiyan»
et «Bannière de l'esprit».

BAL À BORD
Sur cette peinture de Tissot représentant un bal à bord d'un navire (vers 1874),
le pont est orné de tout le contenu du coffre aux pavillons. On y aperçoit
plusieurs étendards royaux et pavillons nationaux, agencement qui,
aujourd'hui, serait jugé irrespectueux.

Bords festonnés
typiques, avec
des éclairs

Soie damassée
et application
d'or

Flottes italienne et autrichienne à la bataille de Lissa en 1866.
Bien visibles, leurs drapeaux et pavillons respectifs ainsi que
de longs guidons.

Manchon creux en lin pour glisser une hampe de bambou

LES PAVILLONS ONT UN LANGAGE

La transmission des signaux est l'un des plus anciens usages des pavillons. Ainsi, pendant les guerres Médiques qui les opposèrent de 547 à 478 av. J.-C., les Grecs et les Perses se servaient à cet effet de «vexilloïdes» (voir pp. 8 et 9). Au Moyen Âge, les flottes génoise et vénitienne utilisaient déjà des pavillons plus élaborés. Mais le premier vrai pavillon de signal, la «Bannière du Conseil», a été inventé par les Anglais en 1369 pour convoquer les capitaines à bord du vaisseau amiral. Les autres signaux étaient envoyés en hissant des pavillons ordinaires dans des positions convenues et il fallut attendre le XVIIe siècle pour que soit créé, en Angleterre, le premier code régulier de signaux, suivi, cent ans plus tard, des pavillons numériques que l'on

PAVILLON DE COURTOISIE
Quand un navire entre dans un port étranger, il hisse le pavillon de ce pays (p. 16), en signe de courtoisie.

combinait pour former un message. Chaque navire possédait aussi des guidons qui représentaient son nom. En 1812, sir Home Popham inventa des pavillons spéciaux pour les lettres de l'alphabet et vers 1889, il y en avait un pour chaque lettre et chaque chiffre. Le premier code international des signaux a été inauguré le 1er janvier 1900. La signalisation par sémaphore ou à l'aide d'autres drapeaux s'est ensuite étendue à terre.

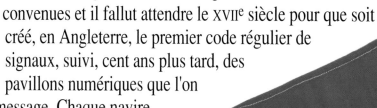

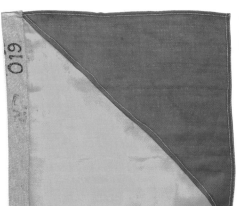

CODE DES SIGNAUX
Voici le pavillon 19, la lettre 0 (Oscar), du code international des signaux. Chaque signal correspond à la fois à une lettre de l'alphabet et à un message particulier. Celui-ci indique «un homme à la mer». Les proportions des pavillons de signaux sont en général de 5:6.

Paire de drapeaux de sémaphore

DRAPEAUX DU RAIL
Avant l'apparition des signaux électriques sur les voies ferrées, on utilisait beaucoup les drapeaux. Avec ceux-ci, on envoyait du quai des signaux au conducteur de locomotive.

SIGNAUX EN MORSE
Pendant la guerre de Sécession, les Américains ont développé un système de signalisation avec un seul drapeau pour représenter les points et les traits du morse.

La lettre E selon le code du sémaphore

SÉMAPHORE
Le sémaphore est un système de signalisation à bras avec deux drapeaux qui, selon les positions, représentent les chiffres et les lettres de l'alphabet. Voici le signal pour la lettre C.

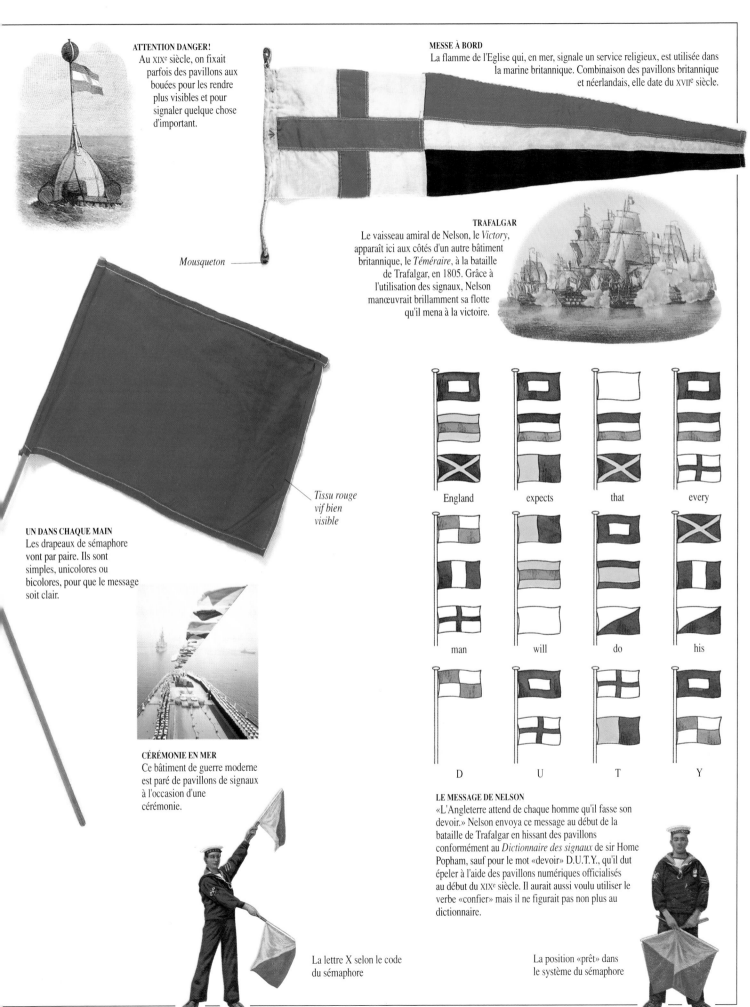

ATTENTION DANGER !
Au XIXᵉ siècle, on fixait parfois des pavillons aux bouées pour les rendre plus visibles et pour signaler quelque chose d'important.

MESSE À BORD
La flamme de l'Église qui, en mer, signale un service religieux, est utilisée dans la marine britannique. Combinaison des pavillons britannique et néerlandais, elle date du XVIIᵉ siècle.

Mousqueton

TRAFALGAR
Le vaisseau amiral de Nelson, le *Victory*, apparaît ici aux côtés d'un autre bâtiment britannique, le *Téméraire*, à la bataille de Trafalgar, en 1805. Grâce à l'utilisation des signaux, Nelson manœuvrait brillamment sa flotte qu'il mena à la victoire.

Tissu rouge vif bien visible

UN DANS CHAQUE MAIN
Les drapeaux de sémaphore vont par paire. Ils sont simples, unicolores ou bicolores, pour que le message soit clair.

England   expects   that   every

man   will   do   his

D   U   T   Y

CÉRÉMONIE EN MER
Ce bâtiment de guerre moderne est paré de pavillons de signaux à l'occasion d'une cérémonie.

LE MESSAGE DE NELSON
«L'Angleterre attend de chaque homme qu'il fasse son devoir.» Nelson envoya ce message au début de la bataille de Trafalgar en hissant des pavillons conformément au *Dictionnaire des signaux* de sir Home Popham, sauf pour le mot «devoir» D.U.T.Y., qu'il dut épeler à l'aide des pavillons numériques officialisés au début du XIXᵉ siècle. Il aurait aussi voulu utiliser le verbe «confier» mais il ne figurait pas non plus au dictionnaire.

La lettre X selon le code du sémaphore

La position «prêt» dans le système du sémaphore

L'AGNEAU DE DIEU
L'agneau était un symbole religieux très présent au Moyen Age.

DES DRAPEAUX QUI S'ENGAGENT

Beaucoup de drapeaux sont le résultat d'une initiative individuelle pour donner un emblème à une action sociale, politique ou religieuse. Spontanés et sans prétention, ils obéissent rarement aux règles de l'art ou aux lois strictes de l'héraldique. La plupart du temps, ils utilisent des symboles très stylisés, comme le crabe noir de l'ancien Cameroun occidental (voir page ci-contre), et portent des inscriptions – textes religieux ou slogans politiques. Certains perdurent et deviennent même drapeau national tandis que d'autres n'ont qu'une existence éphémère. Ils changent avec les événements et ont rarement une version standard. Mais cela n'a pas grande importance aux yeux de leurs utilisateurs car, à la différence des drapeaux nationaux, ils sont plus des signes de ralliement que de reconnaissance.

POUR LA LIBERTÉ
Hissée à bout de bras, la cocarde tricolore. La scène se passe pendant la Révolution (voir pp. 26 et 27).

Drapeau de la SWAPO

Drapeau arménien du début du siècle

Drapeau de l'ANC

EN LUTTE
Les mouvements nationalistes utilisent souvent des insignes à leurs couleurs. Le drapeau du Congrès national africain (ANC) anti-apartheid est interdit en Afrique du Sud. Les Arméniens arborent le leur à l'étranger et la SWAPO espère prendre un jour le pouvoir en Namibie.

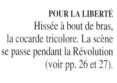

SOLIDARNOSC
Ce symbole représente à la fois le drapeau et le peuple.

Le symbole de l'arc-en-ciel représente Greenpeace.

VERTS
Greenpeace, mouvement international pour la protection de l'environnement, a son drapeau. La colombe, le rameau d'olivier et l'arc-en-ciel sont inspirés de l'épisode biblique du déluge. Le champ vert, représentant la défense de la nature, est aussi symbole d'espérance.

Vert pour l'environnement et l'espérance

JOUR DU SEIGNEUR
Lors des fêtes et des processions, les catholiques déploient dans certains pays de grandes bannières religieuses. Sur celles-ci sont peints la Vierge et l'Enfant..

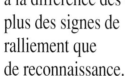

DRAPEAU ROUGE
Manifestation chinoise : les drapeaux rouges sont le symbole
international du socialisme.

RÉSISTANCE
L'Union des populations du Cameroun est un mouvement de
résistance des années 1960, aujourd'hui en exil. Ce drapeau lui a
été pris par les troupes britanniques, avant que le Cameroun
occidental s'unisse à la République fédérale du Cameroun.

DRAPEAU CALLIGRAPHIÉ
Ce drapeau soudanais a été pris par les Britanniques en 1885.
Il porte une phrase du Coran et a appartenu, dit-on,
au Mahdî, un chef musulman.

LÉNINE
Beaucoup d'affiches
soviétiques de
propagande comportent
le drapeau rouge.

SYMBOLE HUMANITAIRE
Fondée par un Suisse, la Croix-Rouge a
pour symbole le drapeau suisse inversé (p.33),
le champ blanc représentant la paix. Dans
les pays musulmans, la croix est remplacée
par un croissant rouge.

NATIONS UNIES
Le bleu des Nations unies est d'un ton
pâle distinct, maintenant connu sous le
nom de «bleu des Nations unies». Les
rameaux d'olivier symbolisent la paix
et la réconciliation.

BANNIÈRE D'ÉGLISE
Dans les années 1920, l'atelier Omega
dessinait et produisait beaucoup de textiles.

LES DRAPEAUX FONT DU SPORT

Signaux, jalons, fanions, ornements, couleurs d'équipes et de supporters, les drapeaux sont présents dans de nombreux sports : courses automobiles, jeux d'équipes, golf, gymnastique, ski, cross, et sports aquatiques. Ils donnent aussi le signal des événements sportifs. Le drapeau olympique, qui date de 1914 et dont les cinq anneaux représentent les cinq continents, est hissé à l'ouverture des Jeux et baissé à la fin.

Mais chaque olympiade a aussi son propre drapeau. Et au moment de la remise des médailles, tandis que retentit l'hymne des vainqueurs, c'est leur drapeau national que l'on hisse.

SLALOM
Les drapeaux servent de jalons dans de nombreuses épreuves de ski. Dans le slalom, ce sont eux qui définissent le parcours exact des skieurs.

Les supporters agitent des drapeaux pour montrer qu'ils sont pour telle ou telle équipe : ici, Liverpool et Everton.

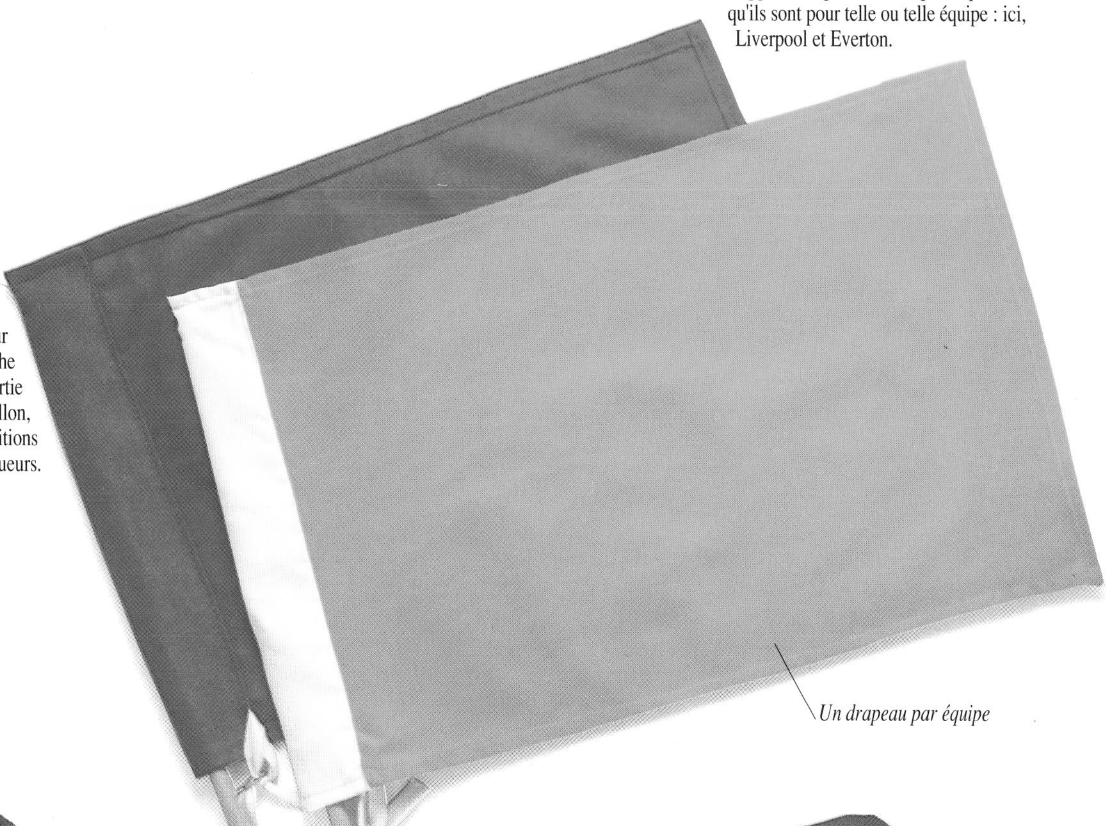

TOUCHE!
Au football, c'est avec leur drapeau que les juges de touche signalent à l'arbitre la sortie en touche du ballon, les corners, ou les positions hors jeu des joueurs.

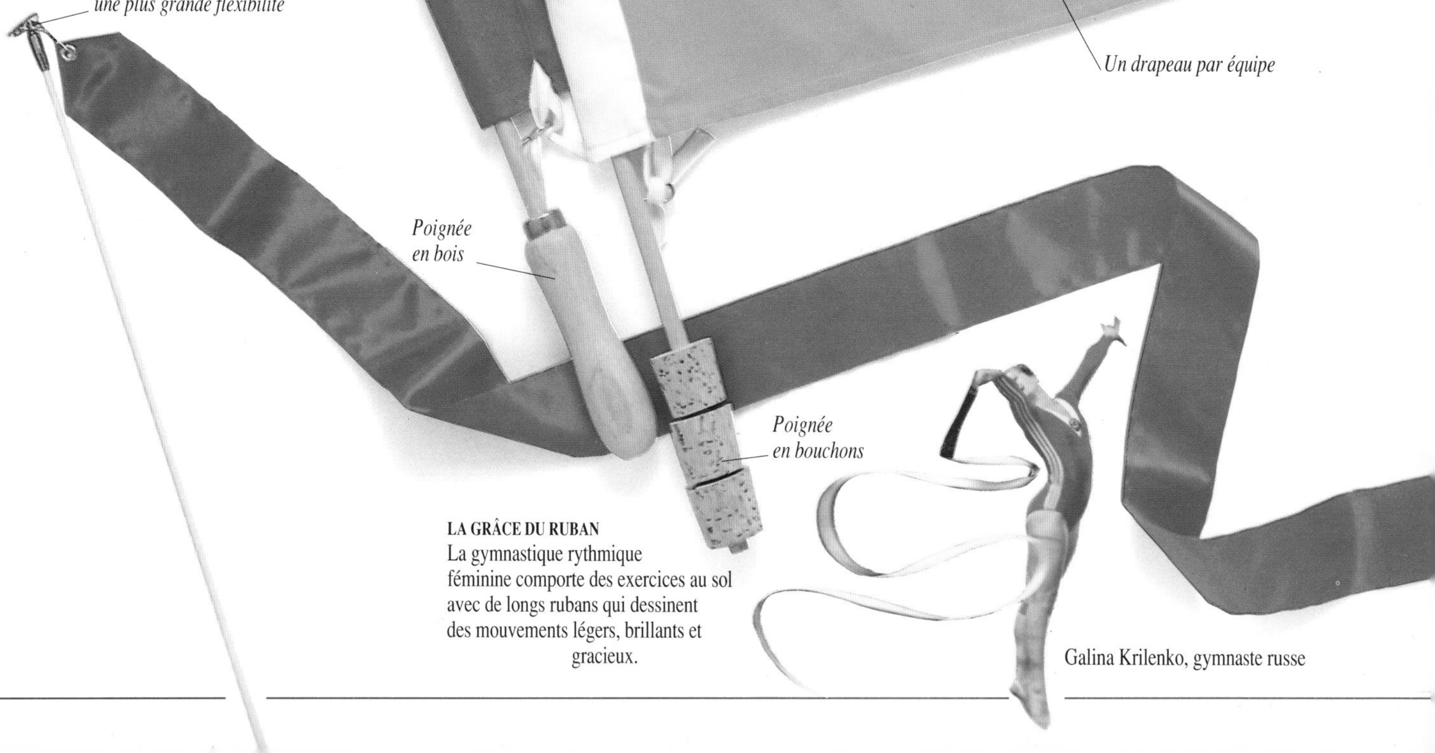

Pivot permettant une plus grande flexibilité

Un drapeau par équipe

Poignée en bois

Poignée en bouchons

LA GRÂCE DU RUBAN
La gymnastique rythmique féminine comporte des exercices au sol avec de longs rubans qui dessinent des mouvements légers, brillants et gracieux.

Galina Krilenko, gymnaste russe

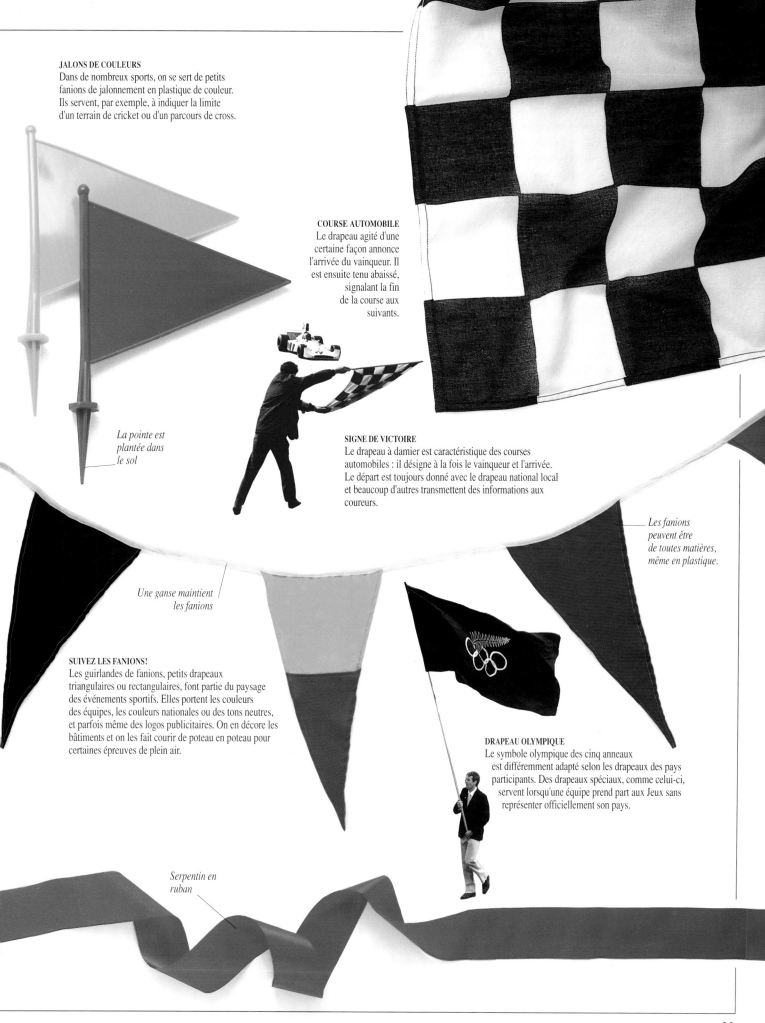

JALONS DE COULEURS
Dans de nombreux sports, on se sert de petits fanions de jalonnement en plastique de couleur. Ils servent, par exemple, à indiquer la limite d'un terrain de cricket ou d'un parcours de cross.

COURSE AUTOMOBILE
Le drapeau agité d'une certaine façon annonce l'arrivée du vainqueur. Il est ensuite tenu abaissé, signalant la fin de la course aux suivants.

La pointe est plantée dans le sol

SIGNE DE VICTOIRE
Le drapeau à damier est caractéristique des courses automobiles : il désigne à la fois le vainqueur et l'arrivée. Le départ est toujours donné avec le drapeau national local et beaucoup d'autres transmettent des informations aux coureurs.

Les fanions peuvent être de toutes matières, même en plastique.

Une ganse maintient les fanions

SUIVEZ LES FANIONS!
Les guirlandes de fanions, petits drapeaux triangulaires ou rectangulaires, font partie du paysage des événements sportifs. Elles portent les couleurs des équipes, les couleurs nationales ou des tons neutres, et parfois même des logos publicitaires. On en décore les bâtiments et on les fait courir de poteau en poteau pour certaines épreuves de plein air.

DRAPEAU OLYMPIQUE
Le symbole olympique des cinq anneaux est différemment adapté selon les drapeaux des pays participants. Des drapeaux spéciaux, comme celui-ci, servent lorsqu'une équipe prend part aux Jeux sans représenter officiellement son pays.

Serpentin en ruban

23

LA BANNIÈRE ÉTOILÉE FLOTTE SUR L'AMÉRIQUE

La bannière étoilée est parmi les drapeaux les plus connus du monde. Son origine, en revanche, est plus obscure. Sa première version, le drapeau de Cambridge, date apparemment de décembre 1775 : elle avait treize bandes et le pavillon britannique figurait dans le canton. En 1777, il fut décidé de le remplacer par le canton bleu à treize étoiles. On ne sait pas exactement comment elles étaient disposées au début : différents dessins furent proposés, et la loi de 1777 mentionne simplement treize étoiles représentant une «nouvelle constellation». Une légende veut que Betsy Ross, une femme de Philadelphie, ait cousu le premier drapeau national pour George Washington. Il est plus probable que Francis Hopkinson, le créateur du sceau des États-Unis d'Amérique, ait participé au dessin. Après l'Indépendance, on a décidé que chaque étoile et chaque bande représentait un État mais ce n'est que plus tard qu'on décida d'ajouter une étoile pour chaque nouvel État qui rejoignait l'Union.

LE PREMIER ARRIVÉ PLANTE LE DRAPEAU
«La bannière étoilée a été épinglée sur le pôle Nord», télégraphie Robert Peary, le 5 septembre 1909. Mais son exploit est revendiqué par Frédérick Cook, un autre Américain. Aujourd'hui encore, le doute subsiste.

LA CAPITULATION DE YORKTOWN
Cette peinture représente la capitulation du général britannique Cornwallis, en 1781, qui ratifiait l'Indépendance américaine. On y voit les drapeaux contemporains de l'Amérique et de la France, son alliée.

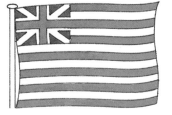

LE DRAPEAU DE CAMBRIDGE
Choisi par l'armée continentale de Washington, il est connu aussi sous le nom de «Couleurs continentales».

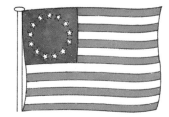

LA PREMIÈRE BANNIÈRE
Elle est le plus souvent représentée par ce dessin mais personne ne peut dire comment était exactement la première bannière étoilée.

DRAPEAU SUDISTE
Aujourd'hui rectangulaire, il était carré pendant la guerre de Sécession.

«ÉTOILES ET BARRES»
Premier drapeau des Etats confédérés d'Amérique qui firent sécession au début de la guerre, il flottait au-dessus de Fort Sumter, en Caroline du Sud, sitôt après les premiers coups de feu de la guerre civile.

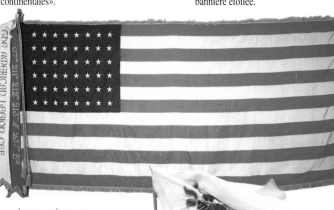

LA LÉGION AMÉRICAINE
Voici le drapeau d'un contingent constitué par des Américains vivant au Canada pendant la Première Guerre mondiale. Présenté à la Légion par les femmes, il est décoré de franges et de pompons dorés.

ÉTAT DU SUD
Le drapeau du Mississippi, adopté après la guerre de Sécession, porte le drapeau de guerre sudiste dans le canton.

UN DRAPEAU PAR ÉTAT
Chaque Etat américain possède son propre drapeau, ses armoiries et son sceau. Celui-ci, d'Illinois, flottait lors d'une convention républicaine, à Dallas. L'emblème central est dérivé du sceau d'Etat.

*Cinquante étoiles =
cinquante Etats*

*Treize bandes pour les treize
premiers Etats*

*Des normes officielles ont été établies en 1912 pour la
confection du drapeau et en 1934 pour ses couleurs. Les
proportions sont de 10:19. Les changements du dessin et du
nombre d'étoiles se font sur ordre du président. Il existe des
lois nationales et locales pour le protéger des dégradations.*

LA BANNIÈRE ÉTOILÉE
Après l'Indépendance, chaque étoile et
chaque bande était censée représenter
un Etat et leur nombre devait augmenter à
mesure que la fédération s'étendait. Mais
en 1818, on décida de n'augmenter que le
nombre d'étoiles et de garder les treize
bandes. La version actuelle de la bannière
étoilée (que les Américains appellent *Stars
and Stripes*) date du 4 juillet 1960,
lorsqu'une cinquantième étoile fut ajoutée
pour Hawaï. Les ajouts ont eu lieu tous les
4 juillet (jour de l'Indépendance) suivant
l'admission d'un nouvel Etat : il y en a eu
26 depuis 1777. Chaque étoile ne
correspond pas à un Etat particulier; le total
représente simplement le nombre d'Etats de
l'Union.

LES BONNES CAUSES
Le «pavillon
chrétien», créé en
1897 par Charles Overton, représente les chrétiens de toutes
confessions et on le voit beaucoup aux Etats-Unis. Quant au
drapeau tricolore, emblème des Afro-américains, il est parfois
appelé «drapeau de la Libération noire».

LE SYMBOLE D'UNE NATION
Les usages du drapeau sont innombrables, depuis
la promotion des bons de la Défense à la
publicité pour les glaces. Mais il est avant tout,
dans le monde entier, le symbole patriotique
américain. «Oncle Sam», qui personnifie
l'Amérique, est toujours vêtu aux couleurs
de la bannière étoilée.

IWÔ-JIMA
La célèbre photo des *marines* plantant
le drapeau américain sur l'île japonaise
de Iwô-Jima pendant la guerre du Pacifique
a servi de modèle au mémorial national où un
vrai drapeau a été intégré à la sculpture. Celui
qui a été planté à Iwô-Jima est un puissant
symbole du rôle joué par les Etats-Unis
– et leur drapeau – pendant la Seconde
Guerre mondiale.

ON A MARCHÉ SUR LA LUNE!
Une des fonctions du drapeau national est de symboliser la conquête,
y compris scientifique et pacifique.

BLEU-BLANC-ROUGE, VIVE LA RÉPUBLIQUE!

Beaucoup de drapeaux célèbres sont français. Le premier, l'oriflamme, à la forme ondulante caractéristique se terminant par des langues ou des pointes (voir p. 6), a fini sa carrière à la bataille d'Azincourt, en 1415. Ensuite, il y a eu tous ceux, nombreux, semés de fleurs de lis, l'emblème traditionnel de la France. Juste avant la Révolution, le drapeau national était blanc plain, couleur de la nation et de l'autorité, mais les drapeaux de l'armée portaient encore des fleurs de lis et autres insignes. Le pavillon du roi à la mer était blanc, fleurdelisé d'or et chargé des armoiries du souverain. Mais le drapeau français le plus célèbre est le drapeau tricolore de la Révolution qui reste un symbole de liberté à travers le monde. La marine adopta ses couleurs en 1790, avec le rouge à la hampe. Le tricolore bleu-blanc-rouge tel que nous le connaissons aujourd'hui fut établi en 1794 et depuis, excepté une courte période au XIXe siècle, il a toujours été utilisé.

PORTE-ÉTENDARD
Ce soldat napoléonien porte un tricolore surmonté d'une des aigles attribuées aux régiments par l'empereur.

MARINS RÉPUBLICAINS
Ce drapeau a été fabriqué à bord du navire l'Amérique, durant une bataille contre l'Angleterre en juin 1794.

LIS ROYAL
La fleur de lis était l'emblème du roi. Elle orne ici les vêtements de Charles V, son caparaçon et les trompettes de ses hérauts.

MARINS
LA REPUBLIQUE
OU LA MORT

SOUS LA RESTAURATION
Lorsque la monarchie fut rétablie en faveur des Bourbons, entre 1814 et 1830, on utilisa souvent des armoiries royales simplifiées, comme celles de ce drapeau.

14 JUILLET 1790
Le général La Fayette, qui avait aussi combattu pendant la guerre d'Indépendance américaine, prit part à la fête de la Fédération, où l'on voit une flamme tricolore au milieu des drapeaux blancs des départements.

LE DRAPEAU TRICOLORE

Le bleu et le rouge sont sans doute dérivés des couleurs de Paris, tandis que le blanc est celle de la nation. Ces «couleurs de la Liberté» ont inspiré de nombreux pays, de même que la verticalité des bandes.

Croix de Lorraine inventée par l'amiral Muselier

AIGLES NAPOLÉONIENNES

Napoléon a donné à ses régiments de nombreux drapeaux à l'extrémité ornée d'une aigle. Celui-ci appartenait à sa garde durant son exil à l'île d'Elbe. Les abeilles étaient l'emblème personnel de l'Empereur.

FORCES FRANÇAISES LIBRES

Le pavillon de beaupré des Forces françaises libres de la Deuxième Guerre mondiale portait la croix de Lorraine, emblème du général de Gaulle.

NOIR-ROUGE-OR : L'ALLEMAGNE A RETROUVÉ SES COULEURS

L'Allemagne est très riche en drapeaux, avec deux traditions rivales basées sur deux associations de couleurs différentes. Les plus anciennes, le noir, le rouge et l'or, remontent à l'époque des guerres napoléoniennes, avant l'unification du pays. Un pavillon à ces couleurs fut adopté par la première Assemblée nationale allemande, réunie à Francfort en 1848. Mais de 1867 à 1945, on utilisa aussi un autre drapeau, noir-blanc-rouge, dessiné par le chancelier prussien Bismarck qui, en 1871, unifia les États allemands en un nouvel empire. En 1919, le drapeau noir-rouge-or fut réhabilité mais bientôt, le noir-blanc-rouge allait être encore imposé par Hitler, avec le svastika, la croix gammée nazie (p. 13) – il dessina lui-même le drapeau. Après sa défaite, les États allemands retrouvèrent le noir-rouge-or.

L'AIGLE GERMANIQUE
Emblème traditionnel, l'aigle noire à deux têtes figure ici sur une partie d'un vitrail représentant les armes de la ville de Lübeck.

LE LION
Ce lion appartient à des armoiries du XVe siècle.

Croix de fer

Noir et blanc, couleurs de la Prusse et des Hohenzollern; le rouge et le blanc sont couleurs du Saint Empire et de la Hanse

Armes de Frédéric Ier, roi de Prusse

DANS LA MARINE
Ce pavillon de guerre *(Reichskriegsflagge)* était utilisé entre 1903 et 1921. Basé sur des dessins antérieurs similaires, il présente, au centre, une aigle de Prusse et, dans le canton, le drapeau national avec la Croix de fer, emblème prussien hérité des chevaliers Teutoniques du Moyen Age. La grande croix traversante noire est inspirée du Pavillon blanc britannique.

Couronne du Kronprinz (prince héritier)

Aigle de Prusse au centre de l'aigle allemande

VOL D'AIGLES
Les aigles et les armoiries de cet étendard indiquent qu'il s'agit de celui du Kronprinz allemand et de Prusse, Guillaume, au début du siècle. Cet emblème, qui pouvait être hissé sur un navire ou porté à cheval, indiquait la présence du prince.

UN OBJET DE VÉNÉRATION
Baiser au drapeau : des images de ce genre étaient souvent imprimées en cartes postales pendant la Première Guerre mondiale.

LE NOIR-ROUGE-OR

Il fut de nouveau adopté en Allemagne de l'Ouest le 8 mai 1949. L'origine de ses couleurs remonte à l'uniforme noir et rouge et aux décorations dorées d'un régiment, le Corps franc de Lützow, en 1814. Il prit la forme d'un tricolore quelques années plus tard et, en 1848, fut adopté à Francfort pour symboliser la nouvelle Allemagne unifiée. Il fut aussi le drapeau officiel de la République de Weimar, de 1919 à 1933, et fut réintroduit en Allemagne de l'Est en mai 1948, comme symbole de l'Allemagne reconstituée. Les armes d'Etat de la République fédérale sont les mêmes que celles de la première République tandis que la République démocratique a adopté des symboles radicalement différents.

Cet insigne porte les armes de R.D.A.

FRONT ROUGE ANTINAZI

La *Roter Frontkämpfer Bund* communiste (Association des combattants du front rouge) avait des drapeaux rouges, comme celui-ci, durant les années où elle combattait les nazis.

DES COHORTES DE CROIX GAMMÉES

L'habitude qu'avaient les nazis d'utiliser drapeaux et bannières en toute occasion, des rassemblements politiques aux marches militaires, était célèbre. Le svastika figurait sur les étendards de la N.S.D.A.P. (parti national socialiste ouvrier allemand) avec l'aigle déployée et la devise *Deutschland erwache* («Allemagne, réveille-toi!»).

BANNIÈRE DE RÉSISTANCE
Sur la bannière de l'armée secrète belge, pendant la Seconde Guerre mondiale, figurent les initiales françaises AS (*Armée Secrète*) et flamandes GL (*Geheim Leger*).

LA BELGIQUE ET LES PAYS-BAS ONT ADOPTÉ LE LION

Le tricolore néerlandais a été le premier drapeau national, au sens moderne du terme. Il date du XVIᵉ siècle, lorsque les Pays-Bas luttaient contre la domination espagnole. À cette époque, la bande supérieure du drapeau était orange, la couleur du prince Guillaume. Vers 1630, elle fut changée en rouge, couleur du drapeau des États généraux des Provinces-Unies des Pays-Bas. Cependant, la couleur orange joue encore un rôle important dans l'héraldique des Pays-Bas. Les provinces du Sud, qui constituent l'actuelle Belgique, sont devenues autonomes vers 1580 mais sont restées des dépendances jusqu'en 1830. Le drapeau tricolore belge fut officiellement adopté à la proclamation du royaume de Belgique, un an plus tard. Le lion rampant est resté commun aux deux pays : lion d'or sur champ noir en Belgique, et sur champ bleu aux Pays-Bas. Les couleurs rouge-blanc-bleu des Pays-Bas ont été adoptées par certaines de leurs anciennes colonies, notamment l'Afrique du Sud, et ont également été celles de la Russie impériale.

GUILLAUME D'ORANGE
Les premiers drapeaux hollandais étaient aux couleurs de la maison d'Orange.

DRAPEAUX-TROPHÉES
Les drapeaux pris aux Espagnols par les Néerlandais étaient suspendus dans la *Ridderzaal* où se réunissaient les Etats généraux, à La Haye. La plupart étaient des drapeaux avec la croix rouge de Bourgogne utilisée par les Espagnols.

LA FIGURE DE LA LIBERTÉ
La Belgique, en 1792, puis les Pays-Bas, en 1795, furent annexés par les Français. Aux Pays-Bas, la République batave, proclamée en 1796 sur le modèle de la française, adopta le tricolore des Provinces-Unies. Le pavillon de guerre comportait un rectangle blanc près de la hampe, sur lequel on voyait une figure de la Liberté, tenant elle-même une hampe coiffée du chapeau de la liberté, et dont l'écu montrait le faisceau de licteur. En voici une version avec le pavillon de l'amiral de Winter à la bataille de Camperdown, en 1797.

Tricolore belge

Lion du Brabant

ARMES BELGES
Le lion d'or sur champ noir représente le Brabant mais aussi les armes nationales de la Belgique, adoptées après l'indépendance de 1830. La devise est celle des Etats généraux : «L'union fait la force». Autour du timbre se trouvent les drapeaux des provinces.

On agite le drapeau belge à un mariage royal

Longuedigue   Zélande   Frise

PROVINCES NÉERLANDAISES
Chaque province et chaque ville néerlandaise possède son propre drapeau. Celui de Zélande porte le lion des provinces néerlandaises et celui de Frise, les feuilles de nénuphar.

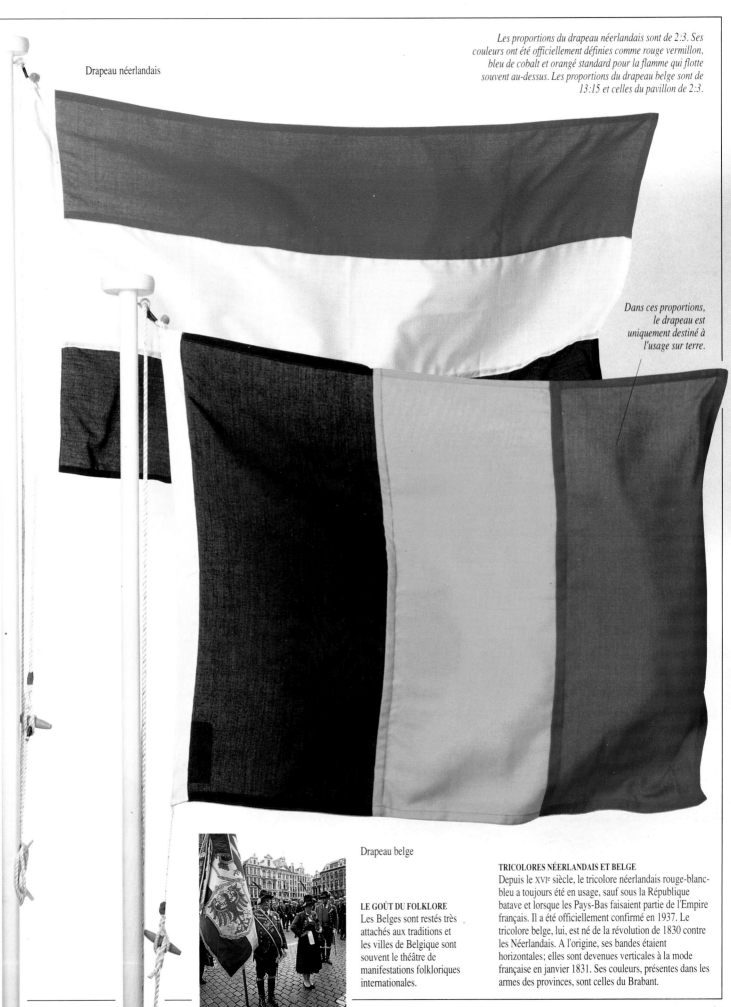

Drapeau néerlandais

Les proportions du drapeau néerlandais sont de 2:3. Ses couleurs ont été officiellement définies comme rouge vermillon, bleu de cobalt et orangé standard pour la flamme qui flotte souvent au-dessus. Les proportions du drapeau belge sont de 13:15 et celles du pavillon de 2:3.

Dans ces proportions, le drapeau est uniquement destiné à l'usage sur terre.

Drapeau belge

LE GOÛT DU FOLKLORE
Les Belges sont restés très attachés aux traditions et les villes de Belgique sont souvent le théâtre de manifestations folkloriques internationales.

TRICOLORES NÉERLANDAIS ET BELGE
Depuis le XVIe siècle, le tricolore néerlandais rouge-blanc-bleu a toujours été en usage, sauf sous la République batave et lorsque les Pays-Bas faisaient partie de l'Empire français. Il a été officiellement confirmé en 1937. Le tricolore belge, lui, est né de la révolution de 1830 contre les Néerlandais. A l'origine, ses bandes étaient horizontales; elles sont devenues verticales à la mode française en janvier 1831. Ses couleurs, présentes dans les armes des provinces, sont celles du Brabant.

L'AUTRICHE ET LA SUISSE ONT CHOISI LE ROUGE ET LE BLANC

Au XIVe siècle, trois cantons suisses se libérèrent de l'autorité du comte de Habsbourg, devenu duc d'Autriche, formant une alliance à l'origine de la Confédération helvétique. Leur emblème était dérivé de la croix du canton central de Schwyz (qui donna son nom au pays). Adopté par les autres cantons comme drapeau de bataille en 1339, puis comme bannière commune en 1480, il n'a vraiment été utilisé comme drapeau national qu'après 1848. Entre-temps, l'Autriche était devenue un grand empire qui allait se maintenir jusqu'en 1918. Ses couleurs rouge-blanc-rouge, qui remontent au moins à 1230, étaient celles des ducs au pouvoir à l'époque où les Suisses luttaient contre eux. L'Autriche et la Suisse ont de fortes traditions héraldiques, comme l'Allemagne voisine (p. 28), et chaque région possède des armes et un drapeau qui lui sont propres. Beaucoup de drapeaux cantonaux suisses portent des emblèmes héraldiques alors que la majorité des drapeaux autrichiens ont seulement des bandes.

DRAPEAU AUSTRO-HONGROIS
La monarchie austro-hongroise, de 1867 à 1918, utilisait ce pavillon qui combine les couleurs et les écus de l'Autriche et de la Hongrie.

Ce petit personnage brandit un drapeau aux couleurs impériales de l'Autriche : jaune et noir.

COULEURS LOCALES
La plupart des cantons suisses utilisent leurs bannières armoriées (dont le champ reproduit l'écu héraldique) comme drapeaux locaux : celui de Berne porte l'image d'un ours, emblème que l'on voit partout dans la ville; celui d'Uri représente un aurochs; celui de Lucerne a les mêmes couleurs que les armes locales, mais disposées horizontalement et non verticalement.

Berne

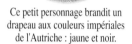

Lucerne

LA FIERTÉ DES CANTONS
Déploiement de drapeaux sur le pont du Mont-Blanc, à Genève : les cantons suisses de Thurgovie, Berne, Fribourg, Glaris et des Grisons sont représentés. Les Suisses sont très attachés à leurs emblèmes locaux, qu'ils font même figurer sur les plaques minéralogiques de leurs voitures.

Uri

UN HÉROS DE LÉGENDE
Arnold von Winkelkried est un héros suisse légendaire qui apporta à ses compatriotes la victoire sur les Autrichiens à la bataille de Sempach (1386). On raconte qu'il prit les lances des ennemis et qu'il ouvrit une brèche dans leurs rangs.

ANIMAUX HÉRALDIQUES
Sur beaucoup de blasons suisses figurent des animaux, comme cette chèvre, sur un vitrail du château de Chillon.

GARDE SUISSE
A Rome, les gardes du Vatican portent un uniforme particulier.

Drapeau de l'Autriche

Les proportions du drapeau autrichien sont de 2:3. En voici la version civile : le drapeau d'Etat, pour les manifestations officielles, porte des armoiries au centre. Le drapeau suisse est carré, mais il existe depuis 1941 une version à l'usage de la marine, dans les proportions 2:3.

Drapeau de la Suisse

SUIVEZ L'OURS...
Cette grande statue d'ours, à Berne, arbore un emblème local.

DRAPEAUX NATIONAUX
Après celui du Danemark, le drapeau autrichien est le plus vieux drapeau national du monde. Une légende veut que son dessin soit inspiré de la tunique tachée de sang du duc Léopold V, la bande blanche correspondant à l'espace sous sa large ceinture. Quant au drapeau suisse, il a été officiellement adopté en 1848.

L'UNITÉ ITALIENNE S'EST FAITE AUTOUR D'UN DRAPEAU TRICOLORE

Avant 1861, l'Italie était divisée en une multitude de petits États, les uns dominés par des puissances étrangères, les autres sous le contrôle de l'Église. Chacun possédait son propre drapeau et son propre blason. Il fallut attendre la fin du XVIIIe siècle pour que se dessine un début d'unité. Les couleurs italiennes ont été fixées par Napoléon pendant la campagne d'Italie, en 1796. Influencées par le tricolore (pp. 26-27), elles ont d'abord été arborées dans une version horizontale. Le drapeau vertical fut introduit en 1798, disparut à la chute de Napoléon – auquel il était étroitement associé – puis réapparut dans les différents États italiens pendant le «Printemps des peuples», en 1848. Adopté ensuite par la Sardaigne, il devint celui du nouveau royaume d'Italie, formé en 1861, après le *Risorgimento* («résurrection»), un mouvement conduit par Garibaldi, qui devait aboutir à l'unification du pays. Lorsque la République fut proclamée, en 1946, le blason de la monarchie disparut du drapeau national qui est aujourd'hui vert-blanc-rouge.

HÉROS DU «RISORGIMENTO»
Garibaldi et ses Chemises rouges lancèrent le mouvement d'unification de l'Italie en 1860.

Etats pontificaux   Le pape

Royaume des Deux-Siciles

LES CLEFS DE SAINT PIERRE
Avant 1870, ces drapeaux flottaient sur certains Etats italiens. Les clefs croisées (symbole de saint Pierre) et la tiare figurent sur l'actuel drapeau du Vatican.

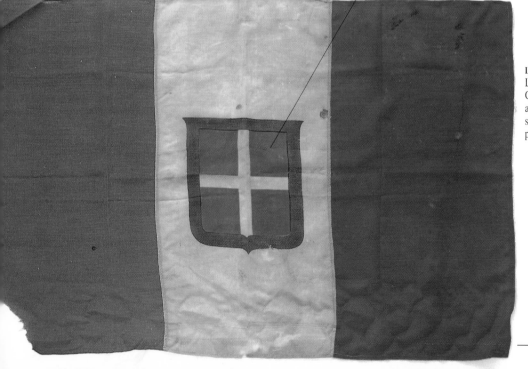

À LA BATAILLE
C'est la version sarde du drapeau tricolore qu'arboraient les soldats italiens à la bataille de Aïn-Zara, en 1911.

Blason savoyard bordé de bleu

DES SYMBOLES D'UNITÉ
Unis aux drapeaux italiens, l'écu et la couronne de Savoie formaient un symbole patriotique populaire.

LA MAISON DE SAVOIE
Le drapeau du royaume d'Italie (1848-1946), créé par Charles-Albert de Sardaigne avant de combattre les forces autrichiennes qui occupaient le nord du pays, devait porter sur la bande blanche la croix de la Maison de Savoie. Le pavillon de guerre portait une couronne au-dessus de l'écu.

LE LION DE SAINT MARC
L'ancien drapeau de Venise était décoré d'un lion d'or ailé sur champ rouge.

Le vert passait pour la couleur préférée de Napoléon, mais c'était, dès le XVIIIe siècle, la couleur de la liberté.

La bande centrale toute blanche montre qu'il s'agit du drapeau italien et non du drapeau mexicain.

Les proportions du drapeau sont de 2:3, avec trois bandes égales.

LE TRICOLORE ITALIEN

On a un moment cru que les couleurs du drapeau italien symbolisaient la foi, l'espérance et la charité. En réalité, elles ont été inspirées par le drapeau français mais l'origine du vert et du blanc est probablement à chercher dans les uniformes de la milice urbaine de Milan. Il y a plusieurs variantes : un blason figure au centre des pavillons civils pour les distinguer du drapeau mexicain (p. 60); les pavillons de guerre portent un écu aux armes de quatre grands ports, timbré d'une «couronne navale».

L'ALLIANCE DE TROIS NATIONS

Britanniques, Français et Italiens étaient alliés pendant la Première Guerre mondiale. Cette image de propagande montre leurs soldats et leurs drapeaux avec la légende : «Tous contre les Allemands». Selon une erreur répandue à cette époque, le Pavillon rouge (p. 16) représente l'Angleterre.

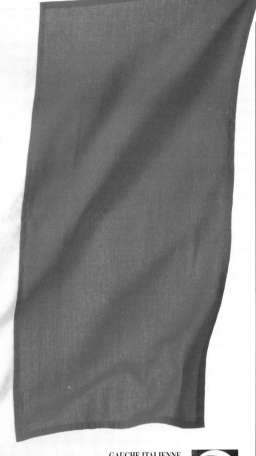

GAUCHE ITALIENNE

Symbole du Parti communiste italien : faucille et marteau d'or en champ rouge, recouvrant le drapeau italien.

COURSE AU DRAPEAU

Deux fois par an, à Sienne, on peut assister à la course colorée du *Palio*. Les concurrents à cheval, arborant des drapeaux carrés aux couleurs brillantes, comme celui-ci, représentent les dix-sept districts de la cité qui se disputent l'honneur de déployer le *Palio* – une ancienne bannière à l'effigie de la Vierge Marie – dans leur paroisse.

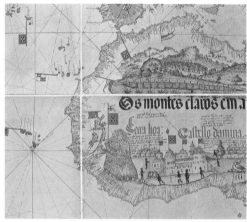

L'ESPAGNE ET LE PORTUGAL N'ONT QUE LE ROUGE EN COMMUN

Badge en forme d'écusson représentant le drapeau espagnol moderne.

Les drapeaux espagnol et portugais, tout différents qu'ils soient, sont tous deux bicolores, ornés, selon les époques, de diverses armoiries. Les couleurs de l'Espagne, rouge-jaune-rouge, ont été instituées en 1785 seulement, mais la tradition du rouge et or des armes de Castille et d'Aragon est plus ancienne. Le drapeau jaune et rouge fut inauguré pendant les guerres napoléoniennes (p. 26); depuis, des armes ont toujours figuré sur le drapeau d'État et sur le pavillon de guerre : d'abord celles de Castille et de Léon, remplacées, à l'époque de Franco (1936-1975), par des armes nationales. Lorsque la monarchie a été restaurée, on a ajouté celles qui figurent encore, sauf sur les drapeaux à usage civil, qui n'en portent pas. Le Portugal a adopté en 1830 un drapeau bleu et blanc. Ces couleurs traditionnelles ont été remplacées par le rouge et le vert à la proclamation de la République, en 1910.

ANCIENNES COLONIES
Une ancienne version du drapeau portugais figure sur cette carte de la côte guinéenne (vers 1502). Les points blancs des écus bleus s'appelaient des *quinas* et les châteaux or sur fond de gueules, la «bordure de Castille».

L'INVINCIBLE ARMADA
Les couleurs espagnoles flottent sur l'Invincible Armada (1588).

SERVICE ACTIF
La version 1785 du pavillon espagnol est rouge et or, avec les armes couronnées de Castille et de Léon. Elles sont habituellement déplacées vers la hampe : ce drapeau a dû beaucoup servir, ce qui expliquerait qu'il ait perdu une partie de son tiers flottant.

L'AUTOUR DES AÇORES
Le drapeau portugais de 1830 (à gauche) est celui de la monarchie libérale renversée en 1910. Aujourd'hui, celui des Açores (à droite) en est dérivé. Il porte un oiseau de proie, l'autour (*açor* en portugais).

CODE INTERNATIONAL
Ce drapeau rouge et or n'est pas espagnol : c'est le pavillon de la lettre Y, selon le code international des signaux.

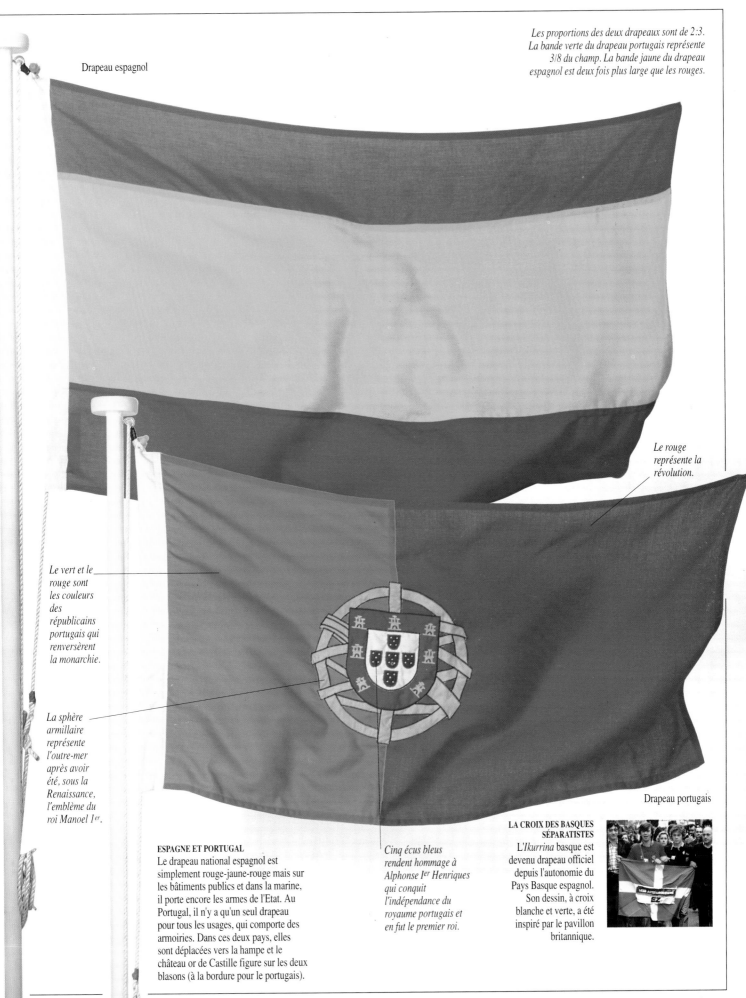

Drapeau espagnol

*Les proportions des deux drapeaux sont de 2:3.
La bande verte du drapeau portugais représente
3/8 du champ. La bande jaune du drapeau
espagnol est deux fois plus large que les rouges.*

*Le rouge
représente la
révolution.*

*Le vert et le
rouge sont
les couleurs
des
républicains
portugais qui
renversèrent
la monarchie.*

*La sphère
armillaire
représente
l'outre-mer
après avoir
été, sous la
Renaissance,
l'emblème du
roi Manoel Ier.*

Drapeau portugais

ESPAGNE ET PORTUGAL
Le drapeau national espagnol est
simplement rouge-jaune-rouge mais sur
les bâtiments publics et dans la marine,
il porte encore les armes de l'Etat. Au
Portugal, il n'y a qu'un seul drapeau
pour tous les usages, qui comporte des
armoiries. Dans ces deux pays, elles
sont déplacées vers la hampe et le
château or de Castille figure sur les deux
blasons (à la bordure pour le portugais).

*Cinq écus bleus
rendent hommage à
Alphonse Ier Henriques
qui conquit
l'indépendance du
royaume portugais et
en fut le premier roi.*

**LA CROIX DES BASQUES
SÉPARATISTES**
L'*Ikurrina* basque est
devenu drapeau officiel
depuis l'autonomie du
Pays Basque espagnol.
Son dessin, à croix
blanche et verte, a été
inspiré par le pavillon
britannique.

LA GRÈCE ET LA YOUGOSLAVIE N'ONT PAS OUBLIÉ LEURS COMBATS

Les drapeaux de ces deux pays chrétiens reflètent bien, chacun à leur façon, la lutte menée au XIXᵉ siècle pour se libérer des Turcs musulmans. Le symbolisme du drapeau grec a été inspiré par la croix des bannières chrétiennes. Le bleu et le blanc viennent d'un drapeau plus ancien et des couleurs de la Bavière – Othon, prince bavarois, a été le premier roi de Grèce en 1832. On dit que les neuf bandes correspondent aux neuf syllabes du cri de guerre de l'indépendance, dont la traduction est : «La liberté ou la mort». Vraie ou non, cette interprétation montre combien ce drapeau est lié au mouvement pour la liberté. La Serbie, ancêtre de la Yougoslavie moderne, utilisait le blanc, le bleu et le rouge, couleurs de la Russie impériale qui l'avait aidée à combattre pour l'indépendance.
La Slovaquie, le Monténégro et la Croatie utilisèrent aussi ces couleurs symboliques du panslavisme. Lorsque la Yougoslavie devint une république fédérative, l'étoile rouge communiste fut ajoutée au drapeau.

Une belle élégante grecque du XIXᵉ siècle hisse les couleurs nationales.

LES BANNIÈRES DE LA LIBERTÉ
La plus petite des républiques fédératives de Yougoslavie, le Monténégro, jamais complètement dominée par les Turcs, a réaffirmé son indépendance au XIXᵉ siècle. A l'origine, elle n'avait pas de drapeau national mais utilisait les bannières de ses saints patrons, dont saint Georges.

L'ÉTOILE DES PARTISANS
Devenue communiste avec le maréchal Tito, après la Seconde Guerre mondiale, la Yougoslavie partit en campagne pour disputer à l'Italie la presqu'île d'Istrie, dessinée sur le drapeau de propagande ci-dessus. L'étoile rouge est celle des partisans de Tito. Aux funérailles du chef d'Etat (à droite), un grand drapeau yougoslave faisait office de drap funéraire.

Couleurs grecques devant le palais royal, à Athènes.

LORD BYRON ET LA CAUSE GRECQUE
Le poète lord Byron, défenseur ardent de la cause grecque, prit part, dans les années 1820, à la lutte pour l'indépendance. Il mourut en Grèce, à Missolonghi, en 1824, et devint un héros national grec.

DRAPEAU GREC D'AUTREFOIS
Les couleurs traditionnelles grecques ont un long passé, comme en témoigne l'ancien drapeau figurant sur ce timbre.

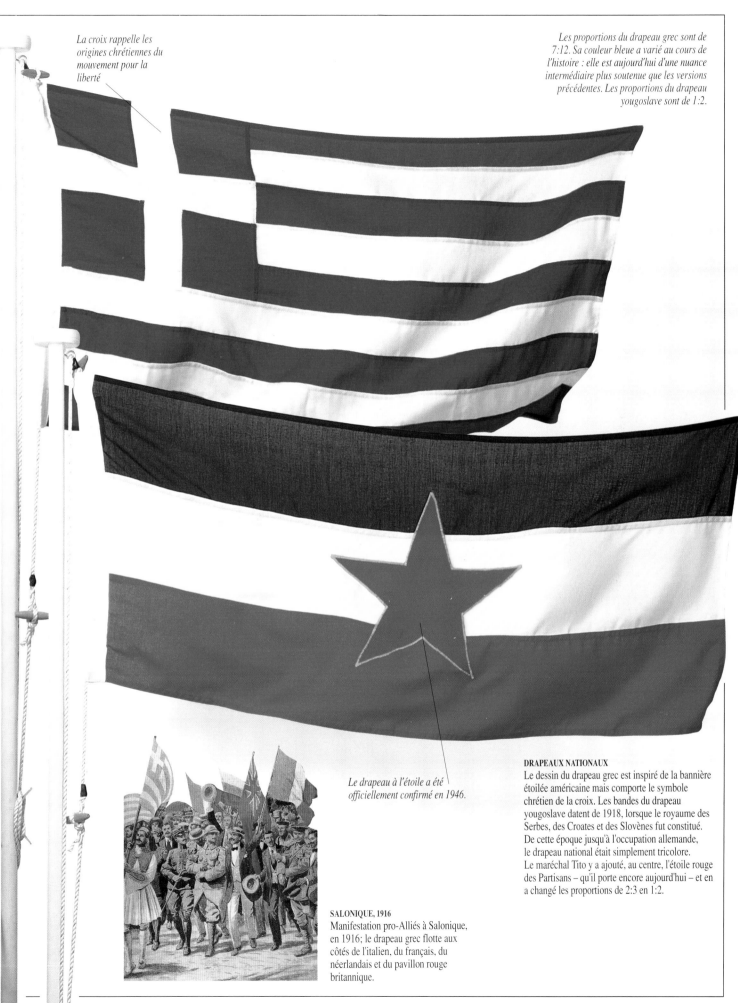

La croix rappelle les origines chrétiennes du mouvement pour la liberté

Les proportions du drapeau grec sont de 7:12. Sa couleur bleue a varié au cours de l'histoire : elle est aujourd'hui d'une nuance intermédiaire plus soutenue que les versions précédentes. Les proportions du drapeau yougoslave sont de 1:2.

Le drapeau à l'étoile a été officiellement confirmé en 1946.

DRAPEAUX NATIONAUX
Le dessin du drapeau grec est inspiré de la bannière étoilée américaine mais comporte le symbole chrétien de la croix. Les bandes du drapeau yougoslave datent de 1918, lorsque le royaume des Serbes, des Croates et des Slovènes fut constitué. De cette époque jusqu'à l'occupation allemande, le drapeau national était simplement tricolore. Le maréchal Tito y a ajouté, au centre, l'étoile rouge des Partisans – qu'il porte encore aujourd'hui – et en a changé les proportions de 2:3 en 1:2.

SALONIQUE, 1916
Manifestation pro-Alliés à Salonique, en 1916; le drapeau grec flotte aux côtés de l'italien, du français, du néerlandais et du pavillon rouge britannique.

LE DANEMARK A VU SON DRAPEAU TOMBER DU CIEL

Le Danemark possède l'un des plus anciens drapeaux du monde, le Dannebrog. Selon une légende, le drapeau rouge chargé de la croix blanche serait tombé du ciel en 1219, au cours d'une bataille où les Danois chrétiens ont vaincu les Estoniens païens. Mais des documents historiques attestent qu'il est d'abord apparu sur les armes du roi Valdemar IV Alterdag, au XIVe siècle. À cette époque, les branches de la croix étaient symétriques, comme celles de la croix de saint Georges (p. 47), et au fil du temps, l'une d'elles s'est allongée : la croix scandinave était née.

Comme c'est le cas du drapeau anglais chargé de la croix de saint Georges, les couleurs danoises ne sont pas celles des armes royales. Peut-être pour éviter la confusion avec les autres pays où le drapeau rouge et blanc, répandu dans toute l'Europe chrétienne, a survécu. La croix dissymétrique s'est imposée aux drapeaux des autres pays scandinaves et de la Finlande. Les Danois se servent de leur drapeau en toute occasion et on peut le voir flotter sur les bâtiments publics aussi bien que dans les jardins ou aux branches des arbres de Noël.

Le Dannebrog sur une carte de Noël du siècle dernier.

L'ÉCU DE VALDEMAR
La représentation la plus ancienne du drapeau danois figure à côté des armes de Valdemar IV Alterdag qui régna de 1320 à 1375 (Armorial de Gelre). L'écu royal est resté le même aujourd'hui.

DRAPEAU «FENDU»
La version en queue d'aronde du drapeau danois, connue sous le nom de *splittflag* (drapeau fendu), est réservée à la marine et aux institutions royales. Elle apparaît sur ce sceau du XVe siècle.

Étendard des dragons sous le règne de Christian IV, de 1588 à 1648.

Drapeau de la compagnie de mousquetaires sous le règne de Christian VII, de 1766 à 1808, et utilisé pendant les guerres napoléoniennes.

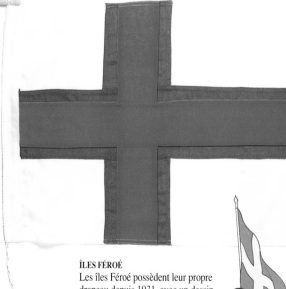

Drapeau d'infanterie sous le règne de Christian IV.

EMBLÈMES MILITAIRES ANCIENS
Le Danemark possède une longue tradition de drapeaux militaires dont beaucoup portent la croix danoise. Le drapeau d'infanterie a les couleurs nationales dans le canton et porte l'emblème d'un poing sortant d'un nuage et brandissant la foudre. Sa devise est : «Terreur à l'ennemi». Le drapeau des mousquetaires porte également la croix danoise tandis que celui des dragons présente une image classique de la victoire.

ÎLES FÉROÉ
Les îles Féroé possèdent leur propre drapeau depuis 1931, avec un dessin dérivé des drapeaux danois et islandais. Il est officiel depuis 1948, mais uniquement sur terre.

UNITÉS MILITAIRES MODERNES
Le drapeau national sert généralement de base aux drapeaux des unités militaires modernes.

Les cantons à la hampe occupent 3/7 de la largeur.

Les proportions du drapeau, fixées en 1848, sont de 28:37. Le pavillon est un peu plus grand (56:107). La largeur de la croix égale 1/7de celle du drapeau. Lors des cérémonies officielles, des insignes sont souvent mis dans le canton, ou au centre de la croix.

LE DANNEBROG

Le drapeau danois est connu sous le nom de Dannebrog, qui signifierait «tissu danois». Son dessin est très ancien mais ses proportions n'ont été fixées précisément qu'en 1848. Il a inspiré les drapeaux de Norvège, d'Islande et des îles Féroé. Et sans doute aussi ceux de Suède et de Finlande. Mais les proportions exactes de la croix et du drapeau danois sont différentes de toutes les autres.

AUX COULEURS DU PAYS

Les Danois sont fiers de leur Dannebrog qu'on voit partout chez eux, même dans les jardins privés et les lotissements (à gauche). Parfois, les jeunes se griment à ses couleurs (ci-dessus).

Drapeaux danois flottant au-dessus d'un lotissement, sur une étiquette de boîte de bière.

LEVER DE SOLEIL SUR LA GLACE POLAIRE

L'immense île du Groenland fait partie du Danemark, avec un statut d'autonomie interne. Elle possède son propre drapeau – le même sur terre et sur mer – depuis 1985. Le dessin a fait l'objet d'un concours. Il représente, aux couleurs danoises, le soleil se levant sur la glace polaire.

LA NORVÈGE ET L'ISLANDE ONT HÉRITÉ DE LA CROIX SCANDINAVE …

Les drapeaux de Norvège et d'Islande sont très similaires. Ils ont une origine commune, leur dessin reflétant le drapeau du Danemark qui a longtemps tenu ces deux nations sous sa coupe. Le drapeau norvégien a été dessiné en 1821, après le passage du pays sous domination suédoise. La croix bleue a été ajoutée pour qu'il ait les mêmes couleurs que le tricolore français. Au XIXe siècle, son usage maritime a donné lieu à d'âpres luttes car il ne portait pas de symbole des liens avec la Suède. Elles ne s'achevèrent qu'en 1898, hâtant la rupture définitive entre les deux pays sept ans plus tard. Le bleu et le blanc du drapeau islandais viendraient des couleurs de l'ordre du Faucon d'argent. Créé en 1913, ce drapeau ne fut autorisé en mer qu'après 1918, lorsque l'Islande obtint son autonomie vis-à-vis de la couronne danoise. À la proclamation de la république indépendante, en 1944, il devint drapeau national.

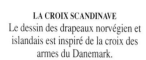

LA CROIX SCANDINAVE
Le dessin des drapeaux norvégien et islandais est inspiré de la croix des armes du Danemark.

DAMASSÉ BRODÉ
Ce riche étendard de cavalerie du XVIIe siècle vient de la ville de Trondheim. Brodé sur un tissu damassé rouge, il rappelle, par sa forme, certains guidons militaires européens (pp. 12 et 13) qui étaient aussi minutieusement décorés.

Etendard de cavalerie

Etendard de cavalerie

L'ENNEMI EST AUX PORTES
Étendard de cavalerie et couleurs régimentaires : ces deux drapeaux norvégiens du XVIIe siècle portent tous deux les armes nationales, un lion tenant une hache. Dans le coin supérieur à la hampe de l'étendard figure la croix du Danemark auquel la Norvège a appartenu jusqu'en 1814. Les couleurs régimentaires appartiennent au régiment d'infanterie de Hannibal Sehested et portent sa devise : *Hannibal ad Portas* (Hannibal est aux portes). En référence, bien sûr, à son homonyme, le célèbre général carthaginois.

Couleurs régimentaires

LE VAINQUEUR DU PÔLE SUD
«Je n'ai jamais connu personne qui se soit trouvé aussi diamétralement à l'opposé de son désir. Depuis l'enfance, je rêve d'atteindre le pôle Nord, et me voici au pôle Sud» dira l'explorateur Amundsen. Il atteignit le pôle Sud, avec ses quatre compagnons, le 14 décembre 1911, après 55 jours d'expédition à skis et avec des traîneaux tirés par des chiens. Il y planta dans la glace le drapeau norvégien que son rival britannique Scott trouva un mois plus tard, en touchant à son tour au but.

EN QUEUE D'ARONDE
La queue d'aronde du pavillon naval (et des drapeaux officiels) d'Islande est assez répandue en Scandinavie.

ÍSLAND 50 KR

Canton

Bordure

Les proportions du drapeau norvégien sont de 8:11 ; celles du drapeau islandais de 18:25. Les cantons à la hampe du drapeau norvégien égalent la moitié de la longueur des cantons flottants.

Drapeau norvégien

Drapeau islandais

Bordure

DRAPEAUX NATIONAUX

Sur le drapeau norvégien, la croix et sa bordure représentent un quart de la largeur. Sur le drapeau islandais, elles sont plus larges. Il existe des versions en queue d'aronde des deux drapeaux mais dans ce cas, le norvégien possède en plus un prolongement de sa croix, en forme de langue, comme les drapeaux suédois et finlandais. On peut ajouter des emblèmes dans le canton ou au centre de la croix.

... TOUT COMME LA SUÈDE ET LA FINLANDE

Du XIIe siècle jusqu'en 1809, la Finlande a fait partie de la Suède, sans perdre pour autant ses particularismes. Annexée à la Russie impériale en 1809, elle obtint son indépendance en 1917, rejoignant les autres pays scandinaves. Comme le drapeau suédois, celui de Finlande représente la croix scandinave. Les couleurs du premier sont dérivées des armes traditionnelles de la nation et celles du deuxième viennent du bleu et du blanc qui, au XIXe siècle, symbolisaient les lacs et la neige du pays. La croix suédoise remonte au moins à 1533 et les couronnes d'or sur champ bleu des armes ont été utilisées dès 1364. Comme au Danemark, les drapeaux ont une place importante dans la vie suédoise : on y célèbre chaque année, le 6 juin, le Jour du Drapeau. C'est le roi de Suède Jean III qui donna ses armes à la Finlande, en 1581 : le lion d'or foulant aux pieds un cimeterre représente la victoire sur les ennemis de l'Est tandis que les neuf roses figurent les neuf provinces du pays.

ARMES SUÉDOISES
En Suède, les drapeaux et l'héraldique ont une longue histoire. On voit ici les trois couronnes des armes d'Etat, au Moyen Age. Le soldat porte également une très longue banderole.

Chevalier suédois du XIVe siècle, avec ses emblèmes héraldiques

GUSTAVE Ier VASA
Le roi de Suède Gustave Ier Vasa a régné de 1496 à 1560. Il s'est battu contre les Danois qu'il a chassés en 1523 et a laissé le souvenir d'un roi juste et pieux.

SCANIE
Cette province de l'extrême sud de la Suède a essayé d'obtenir son autonomie et possède un drapeau connu dans le pays. La Scanie a appartenu au Danemark jusqu'en 1658, aussi ses couleurs sont-elles dérivées de celles du Danemark et de la Suède.

ÎLES D'ALAND
Ce drapeau date des années 1920 et représente un archipel de Finlande peuplé surtout de Suédois. Les couleurs unissent le bleu et l'or suédois avec le rouge et l'or des armes locales.

Armes traditionnelles de Suède sur un drapeau militaire

Drapeau de Suède

Les drapeaux des pays scandinaves sont tous légèrement différents dans leurs proportions et dans celles de leur croix : pour la Suède, les proportions sont de 5:8, la largeur de la croix représentant 1/5 de la largeur totale; pour la Finlande, elles sont de 11:18, la croix égalant 3/11 de la largeur, et le drapeau d'Etat porte les armes au centre de la croix.

Drapeau de Finlande

DRAPEAUX NATIONAUX

Durant l'union avec la Norvège, de 1814 à 1905, le drapeau suédois a porté une «marque» d'union en son canton. Le drapeau national a été adopté officiellement en 1906. Celui de Finlande ne l'a été qu'en 1918, après plusieurs changements au XIXᵉ siècle. Le bleu et le blanc y sont apparus pour la première fois en 1860 et différents projets ont été proposés avant que la croix scandinave ne l'emporte.

BARQUE ROYALE SUÉDOISE
Le pavillon suédois est en queue d'aronde. Le pavillon royal, de forme comparable, porte en son centre les armes d'Etat.

ARMES FINNOISES
Sur ce timbre, les armoiries de Finlande : le lion foulant aux pieds un cimeterre, et les neuf roses.

AU ROYAUME-UNI TROIS CROIX FONT L'UNION JACK

Dès le XIIIᵉ siècle, les Anglais avaient un drapeau qui portait la croix de saint Georges, patron du pays. C'est derrière ce drapeau qu'ils se rangèrent pour faire la septième croisade, ce qui ne les empêchait pas d'arborer aussi la bannière royale aux armes anglaises, avec les léopards héraldiques et la fleur de lis or (p. 26).

A la même époque, les Ecossais adoptèrent comme drapeau la croix en sautoir de saint André, blanche sur fond bleu. Lorsque les deux royaumes furent réunis, les deux croix combinées, en 1606, formèrent le premier drapeau de l'Union, au dessin très caractéristique. En 1801, quand l'Irlande fut réunie à la Grande-Bretagne, la croix rouge de saint Patrick fut incorporée au dessin, donnant naissance au drapeau que nous connaissons aujourd'hui. Le pays de Galles n'est pas représenté sur le drapeau de l'Union mais les Gallois ont leur propre drapeau, avec un dragon rouge.

FUNÉRAILLES ROYALES
Déployées au-dessus du cortège funèbre d'Elisabeth Iʳᵉ, les bannières symbolisent les couples royaux et princiers formant la lignée de la reine, d'Henri II à Henri VIII.

MORT AU COMBAT
Le drapeau de l'Union, dans sa version d'avant 1801, flottait à la bataille de Saint-Hélier, à Jersey, où le major Pierson trouva la mort.

Les diagonales blanc plain indiquent que ce drapeau date d'avant 1801. Celui-ci a dû être confectionné à bord d'un navire. Les diagonales mal alignées sont une erreur courante de fabrication des drapeaux.

DONNER SA VIE POUR LE DRAPEAU
La bataille d'Inkerman, pendant la guerre de Crimée, fut particulièrement sanglante. Les troupes, dont ce régiment de la Garde royale, firent tout ce qui était humainement possible pour empêcher les Russes de prendre leurs drapeaux.

BATTRE PAVILLON
Ce pavillon flottait à bord du *HMS Queen Charlotte* (le *Reine-Charlotte*), le bâtiment de lord Howe qui défit la flotte française devant Ouessant, le 1ᵉʳ juin 1794.

La main rouge est l'emblème traditionnel de l'Ulster.

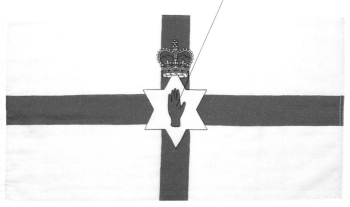

Le blason de l'Ulster sert de base à ce drapeau qui était en usage de 1953 à 1972, date à laquelle le gouvernement britannique a imposé son administration directe à cette province.

PORTE-ENSEIGNE
L'enseigne était le plus jeune officier du régiment. Il portait les couleurs, d'où le nom de son grade. Sur cette peinture du XIXᵉ siècle, un enseigne du 75ᵉ régiment des Highlanders.

Bien que l'union avec l'Irlande ait été rompue en 1921, la croix de saint Patrick est restée sur le drapeau pour l'Irlande du Nord.

Il n'existe pas de spécifications officielles pour la fabrication du drapeau. Ses proportions sont habituellement de 1:2 mais les couleurs peuvent être de différentes nuances de rouge et de bleu, ce dernier étant généralement foncé.

Diagonales blanches pour l'Ecosse

Fond bleu pour l'Ecosse

Fond blanc pour l'Angleterre

Angleterre

Ecosse

Irlande

TROIS CROIX POUR UN DRAPEAU
La croix anglaise de saint Georges et la croix en sautoir de l'Ecosse sont encore très répandues. La croix de saint Patrick, elle, est aujourd'hui supplantée par les drapeaux de l'Ulster (voir page de gauche) et de l'Eire (p. 61).

L'UNION JACK
Le nom correct du drapeau national britannique est «drapeau de l'Union» mais il est plus connu sous le nom d'«Union Jack». Le *jack* est un petit pavillon hissé à la proue d'un navire mais seule la reine utilise encore l'Union Jack pour cet usage et l'amiral de la flotte le hisse au grand mât. Drapeau d'Etat, il est aussi utilisé par le commandant en chef de l'armée britannique.

LE DRAPEAU FAIT LA MODE
Dans les années 1960, l'Union Jack était à la mode dans les vêtements et les accessoires.

UN EMBLÈME POUR LES HÉROS DU CIEL
Cette enseigne a été spécialement créée pour la Royal Air Force en 1918, à l'occasion des cérémonies de l'Armistice. Sa version moderne est apparue deux ans plus tard.

BOULEDOGUE BRITANNIQUE
De nombreuses images patriotiques – où figurait l'Union Jack – circulaient en Grande-Bretagne pendant la guerre des Boers et la Première Guerre mondiale.

ARMES DE NOUVELLE-ZÉLANDE
La Croix du Sud figure dans un des quartiers de l'écu. La couronne royale a remplacé l'ancien timbre en 1953. Les tenants portent un drapeau néo-zélandais et une lance maori. Les fougères, derrière la banderole, sont un symbole national.

LE CANADA ET LA NOUVELLE-ZÉLANDE AFFICHENT LEURS EMBLÈMES

Le Canada a été le premier dominion de l'ancien Empire britannique mais le dernier à avoir un drapeau qui lui soit propre. La Nouvelle-Zélande, elle, en possédait un avant l'établissement du protectorat britannique : dès 1834, les chefs maoris avaient adopté le drapeau «Waitangi» qui allait servir jusqu'en 1840, lorsqu'ils cédèrent le contrôle du pays à la reine Victoria. Ensuite, la Nouvelle-Zélande a utilisé des pavillons britanniques avec différents emblèmes particuliers jusqu'à l'adoption, en 1896, de la Croix du Sud, comme sur le drapeau australien (p. 50) mais avec seulement quatre étoiles. Celles-ci ont d'abord été rouges sur un disque blanc, puis sur la partie flottante du Pavillon bleu : il a alors fallu les cerner de blanc pour qu'elles ressortent mieux. Après être devenu dominion fédéral, en 1867, le Canada aussi a utilisé les pavillons britanniques; en 1892, le Pavillon rouge avec un blason était autorisé comme pavillon et son usage s'est étendu à terre après 1945. L'actuel dessin est entré en vigueur en 1965 mais la feuille d'érable était déjà l'emblème du Canada depuis le XIXᵉ siècle. Son adoption a fait l'objet du plus long débat parlementaire – sept mois – de l'histoire canadienne. De leur côté, les provinces se sont créé leurs propres emblèmes, tout comme Terre-Neuve, qui possédait son propre jeu de pavillons avant de devenir la dixième province canadienne, en 1949.

Emblème de bicentenaire provenant de la province de l'Ontario, au Canada (1784-1984)

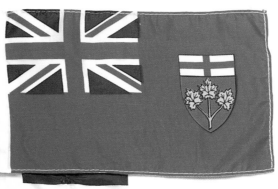

BANNIÈRE DE L'ONTARIO
Le drapeau de l'Ontario est constitué du pavillon rouge britannique avec, dans le tiers flottant, un écu provincial, aux feuilles d'érable jaunes, qui date de 1868. Il a été hissé officiellement en 1965 et met en relief les liens entre la Grande-Bretagne et le Canada.

AVEC LA GRANDE-BRETAGNE
Le pavillon rouge britannique avec l'écu canadien a été utilisé par le Canada pendant les deux guerres mondiales. Les armes d'Etat canadiennes comportent encore l'Union Jack.

CANADIENS FRANCOPHONES
Le drapeau fleurdelisé du Québec découle d'une version du XIXᵉ siècle et représente les Canadiens francophones. La fleur de lis et la croix blanche sur champ bleu rappellent les drapeaux de la France prérévolutionnaire (p. 26).

LE SOLEIL SE COUCHE À L'OUEST
Sur le drapeau de la Colombie-Britannique, l'emblème du soleil couchant fait allusion à la position géographique de cette province, la plus occidentale du pays, ainsi qu'à la devise qui figure sur ses armoiries : *Splendor sine Occasu* («Une splendeur qui ne se couche jamais»).

Drapeau du Canada

La feuille d'érable rouge du Canada est un emblème national très populaire.

Le rouge et le blanc sont les couleurs héraldiques du Canada. Les proportions du drapeau, officiellement adopté en 1965, sont de 1:2. La bande blanche est deux fois plus large que chaque bande rouge : on la nomme le «pal canadien».

Drapeau de Nouvelle-Zélande

Etoiles cernées de blanc pour mieux les faire ressortir

NOUVEAUX SUJETS DE SA MAJESTÉ
Le traité de Waitangi (1840), par lequel les Maoris sont devenus sujets britanniques.

DRAPEAUX NATIONAUX
Le pavillon bleu de Nouvelle-Zélande a été officiellement adopté comme drapeau et comme pavillon en 1902 mais les Maoris utilisent à terre le pavillon rouge, cette couleur étant traditionnelle pour eux. Depuis l'adoption d'un drapeau canadien particulier, en 1965, l'Australie, la Nouvelle-Zélande et Tuvalu sont les seuls pays du Commonwealth dont les drapeaux comportent encore l'Union Jack. La feuille d'érable – un arbre répandu au Canada – du drapeau et du pavillon canadiens est un symbole national dont l'histoire est très ancienne.

LA CROIX DU SUD GUIDE L'AUSTRALIE

Depuis des siècles, la constellation brillante de la Croix du Sud guide les navigateurs de l'hémisphère Sud. Elle est un thème dominant du symbolisme australien depuis le début du XIXᵉ siècle. Le drapeau colonial national, en 1823-1824, fut le premier à en porter les étoiles, alors disposées sur la croix rouge du Pavillon blanc britannique. En 1831 apparut l'enseigne de Nouvelle-Galles du Sud, très comparable au drapeau du Commonwealth d'Australie (voir ci-dessous), mais avec des étoiles à huit branches. Elle devint, le moment venu, drapeau de la Fédération. Le drapeau d'Eureka Stockade apparut en 1854 et en inspira plusieurs autres, dont celui de l'État de Victoria (1870). Lorsque l'Australie devint dominion fédéral, en 1901, un concours fut organisé pour lui donner un drapeau : il couronna tout naturellement un dessin qui portait la Croix du Sud. Bleu foncé, ce drapeau portait aussi l'Union Jack dans le canton. Ses étoiles n'étaient pas tout à fait les mêmes que celle du drapeau du Victoria; le nombre varié de leurs branches figurait l'éclat des vraies étoiles. C'est ce même drapeau qui est utilisé aujourd'hui. Un seul changement : en 1908, le nombre des branches de la grande étoile a été porté de six à sept, pour représenter les six États et le Territoire du Nord.

LA DÉCOUVERTE DE LA TASMANIE
En 1642, Abel Tasman découvrit l'île qui porte aujourd'hui son nom (jusqu'en 1853, elle s'est appelée terre de Van Diemen). Son navire appartenait à la Compagnie hollandaise des Indes et battait pavillon tricolore.

Les étoiles avaient cinq ou huit branches

LE DRAPEAU D'EUREKA STOCKADE
A l'origine, ce drapeau représentait la Ligue réformiste de Ballarat, une ville de l'État de Victoria. Cette association tenta, en 1854, de venir en aide aux ouvriers des mines d'or qui se battaient pour l'abolition du système restrictif de licenciements et pour des réformes électorales. Le drapeau fut hissé au-dessus de l'estacade où les mineurs résistaient aux troupes de l'Etat. La révolte fut rapidement écrasée par les soldats mais la Ligue se constitua pour examiner le conflit entre les mineurs et le gouvernement. La réputation d'Eureka Stockade d'avoir été un foyer d'idées radicales a survécu et son drapeau est encore populaire en Australie, surtout comme symbole républicain.

POUR L'UNITÉ
Le drapeau de la Fédération illustrait l'idée des six Etats australiens unis en une nation indépendante, ce qui se réalisa seulement le 1ᵉʳ janvier 1901. Dans les années 1890, à force d'être arboré par les partisans du mouvement fédéraliste, ce drapeau leur fut progressivement associé.

Le dessin vient du drapeau de Nouvelle-Galles du Sud

Un de ces boomerangs est décoré des motifs du drapeau australien.

L'Union Jack représente le lien entre la Grande-Bretagne et le Commonwealth d'Australie

Les proportions du drapeau sont de 1:2. Les couleurs bleu et rouge du «Drapeau national d'Australie» ont été officiellement définies. Le pavillon civil et d'Etat est à fond rouge, et le pavillon de guerre est à fond blanc.

Etoile du Commonwealth d'Australie

«Crux Australis» (Croix du Sud)

LE LAURÉAT DU CONCOURS

Pour donner un drapeau à l'Australie, en 1900, 32 823 projets étaient en compétition. Le dessin gagnant fut rendu par cinq concurrents distincts. Il fut officiellement adopté comme pavillon australien en février 1903, et confirmé comme drapeau national en avril 1954. L'Union Jack illustre le lien avec la Grande-Bretagne, la Croix du Sud représente l'Australie, et l'étoile du Commonwealth, le système fédéral australien. Cependant les couleurs officielles de l'Australie sont le vert et le jaune que l'on trouve dans de nombreux nouveaux projets de drapeaux australiens.

Nouvelle-Galles du Sud

Queensland

Australie-Occidentale

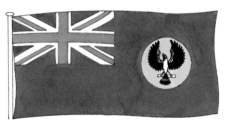

Australie-Méridionale

Tasmanie

Victoria

COULEURS ABORIGÈNES

Ce drapeau est devenu le symbole des aborigènes d'Australie. Le noir représente le peuple, le cercle jaune le soleil, et le rouge, la terre d'Australie.

DRAPEAUX D'ÉTATS

Chacun des six Etats australiens possède un drapeau composé du Pavillon bleu britannique plus un emblème particulier dans le tiers flottant. Les emblèmes sont dérivés des blasons des Etats. L'Australie-Méridionale a récemment changé ses armes et leur a donné le même dessin que celui de l'emblème de son drapeau. Chaque gouverneur d'Etat a aussi ses propres couleurs. Les drapeaux de Tasmanie et d'Australie-Occidentale datent de 1875, ceux de Nouvelle-Galles du Sud et du Queensland, de 1876, celui de Victoria, de 1877, et celui d'Australie-Méridionale, de 1904.

LE SOLEIL SE LÈVE SUR LE JAPON

Le nom même de Japon, qui signifie «pays du Soleil-Levant», suggère le dessin de son drapeau : disque solaire rouge sur champ blanc pour l'actuel drapeau national, et soleil dardant ses rayons jusqu'aux bords pour le pavillon de guerre. Pays fermé pendant des siècles, le Japon fuyait toute influence étrangère et n'avait pas de drapeau national. C'est la visite du commodore américain Perry en 1853 qui, en ouvrant les portes du Japon à l'influence occidentale par un traité commercial, donna à l'emblème solaire – pourtant ancien – sa fonction de symbole national. Le Soleil levant fut d'abord adopté comme pavillon national, puis confirmé le 27 février 1870, après la restauration Meiji de 1868 qui désigne la chute du shôgunat et la reprise du pouvoir par l'empereur. En japonais, le drapeau au soleil se dit *Hinomaru*.

Femme japonaise selon une illustration occidentale du XIXe siècle.

LES HÉRAUTS DE L'HONNEUR
Les samouraïs portaient, attaché sur le dos, leur drapeau chargé de l'emblème héraldique familial, ou *mon*.

LE PHÉNIX, SYMBOLE DU SOLEIL
Deux phénix supportant un emblème héraldique, ou *mon*, ornent ce drapeau pris aux Japonais par les Britanniques, en 1945. Dans la pensée orientale, le phénix symbolise le soleil. Il est visible encore aujourd'hui sur le drapeau présidentiel de Corée du Sud.

SOLEIL LEVANT
Ce drapeau a été adopté comme pavillon civil et pavillon de guerre le 3 novembre 1889, puis interdit à la fin de la Seconde Guerre mondiale (celui-ci date de cette époque). Il a pourtant été remis en activité par la Force de défense maritime, en juin 1954, et constitue la base des pavillons d'amirauté. Aujourd'hui, le drapeau de la Force d'autodéfense terrestre comporte la même base de dessin.

Proportions 1:2 (2:3 pour la version moderne)

Le phénix représente le soleil.

VICTOIRE!
Le pavillon de guerre du Soleil levant flottait sur les navires japonais pendant la bataille de Tsushima, en 1905, où fut défaite la flotte russe.

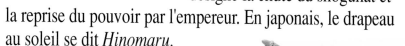

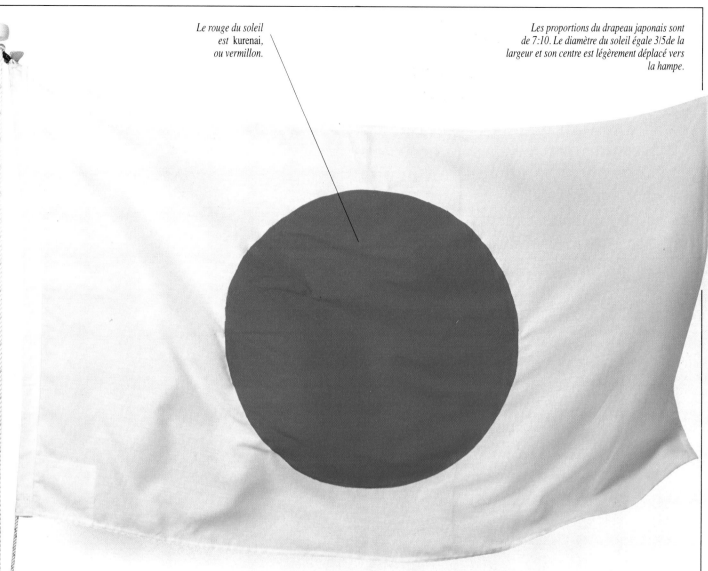

Le rouge du soleil est kurenai, *ou vermillon.*

Les proportions du drapeau japonais sont de 7:10. Le diamètre du soleil égale 3/5 de la largeur et son centre est légèrement déplacé vers la hampe.

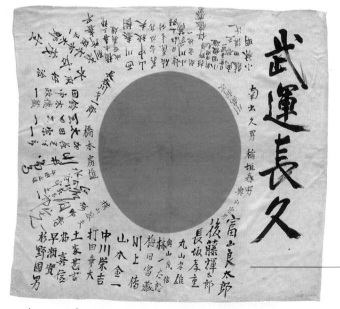

PRIÈRES SHINTOÏSTES

Pendant la Seconde Guerre mondiale, les soldats portaient des drapeaux couverts d'inscriptions – des prières souvent faites pour eux par leurs familles – qui n'étaient jamais tracées sur le soleil lui-même. De nombreux drapeaux de ce genre ont fini comme trophées aux mains de l'ennemi.

Les inscriptions rayonnent depuis le centre du drapeau

LE DISQUE SOLAIRE

Le disque solaire, un des drapeaux nationaux les plus simples, a d'abord flotté sur les navires japonais en 1855, avant d'être hissé, en 1860, à la proue d'un bâtiment américain qui transportait les premiers diplomates japonais à Washington. En 1870, il devint la base des drapeaux régimentaires et fut approuvé pour l'usage public et privé en 1872. Le blanc du champ est considéré comme symbole de pureté et d'intégrité tandis que le disque rouge exprime la sincérité, la ferveur et l'enthousiasme. Il symbolise l'idéal japonais *Akaki kiyoki tadashiki naoki makoto no kokoro* (fervent, pur, juste et le cœur doux).

LE LANGAGE DES DRAPEAUX

Au Japon, on se sert beaucoup des drapeaux les jours de fête et en vacances. Deux drapeaux croisés signifient congé. Le Soleil levant est utilisé ci-dessus pour saluer l'empereur, qui possède lui-même un drapeau particulier : chrysanthème or – son *mon* –, sur champ rouge (p. 15).

L'AFRIQUE ET L'AMÉRIQUE DU SUD PAVOISENT

Les drapeaux de ces continents sont apparus lors de périodes de révolution et d'émancipation. Les peuples d'Amérique latine ont commencé à se libérer de la domination espagnole au début du XIXᵉ siècle, conduits par des officiers comme Miranda au Venezuela, Bolivar en Bolivie et San Martin en Argentine. La plupart de leurs drapeaux, aux couleurs de ces héros, étaient inspirés, bien sûr, du tricolore de la Révolution française. Aujourd'hui encore, ils servent souvent de base aux drapeaux nationaux. En Afrique, l'accession à l'indépendance a été l'œuvre de juristes et de politiciens comme Nkrumah au Ghana et Kenyatta au Kenya. En choisissant leurs drapeaux, beaucoup de jeunes nations africaines ont pris pour modèle l'Éthiopie, qui s'est pour ainsi dire toujours préservée de l'influence étrangère. Le drapeau éthiopien vert jaune et rouge a été adopté et associé aux couleurs de Marcus Garvey par les Rastas de la Jamaïque. Le Ghana a été le premier État africain à adopter, en 1957, ces couleurs qui se sont ensuite répandues à travers le continent.

L'AIGLE ET LE CACTUS
La tradition aztèque apparaît dans les armes du Mexique, qui représentent la fondation légendaire de la ville de Mexico. Ces armes figurent sur le drapeau national.

TOUT CHANGE
Nouveau pays, nouveaux timbres, nouveau drapeau : celui de Gambie a été adopté en 1965.

DRAPEAU COLONIAL
Ce drapeau appartenait à un régiment de chasseurs à pied africains du Royaume-Uni, qui réprimèrent la révolte des Mau-Mau, au Kenya : ceux-ci réclamaient plus de justice pour les Africains colonisés, et leur lutte finit par aboutir à l'indépendance. Sur le drapeau dont la facture rudimentaire indique la fabrication locale, le chiffre 3 signifie 3ᵉ peloton.

À L'AVANT-GARDE
Le drapeau éthiopien flottait sur la bataille de Lasta, pendant une guerre civile.

COULEURS RASTAS
Le drapeau éthiopien est apparu dans les années 1890. Il a inspiré celui des Rastafarians de la Jamaïque, membres d'un culte qui rejette la culture et les idées occidentales, et qui considère comme un dieu l'ancien empereur Hailé Sélassié. La résistance de l'Ethiopie à toute colonisation jusqu'en 1936 a provoqué l'admiration des pays africains.

LA FIERTÉ DU KENYA
Peter Rono, médaille d'or aux Jeux olympiques de Séoul, porte le drapeau du Kenya, basé sur les couleurs de Marcus Garvey : cet Américain anti-esclavagiste était le héros de Jomo Kenyatta, père du Kenya moderne.

Carte du Brésil

Treize bandes, comme sur le drapeau des Etats-Unis

DRAPEAU DE SÃO PAULO
São Paulo a été l'un des Etats brésiliens qui ont joué un rôle déterminant dans la création de la république, en 1888. Son drapeau, en partie inspiré de la bannière étoilée, briguait l'honneur de devenir celui de la nouvelle république – d'où la carte du Brésil esquissée dans le canton. Il est devenu officiellement drapeau d'Etat en 1948. Beaucoup d'autres dessins ont été proposés pour la république qui, finalement, a gardé son ancien drapeau (p. 60).

Venezuela

Brésil

Ces flammes portent les couleurs du Venezuela (le jaune, rouge et bleu de Miranda) et du Brésil (le jaune et le vert adoptés à l'indépendance en 1822).

Timbre représentant le drapeau du Paraguay

CARAÏBES
Sur ce timbre nicaraguayen figure le drapeau de Porto Rico.

VAILLANTS SOLDATS
Le drapeau brésilien – vert avec, au centre, des armes dorées – à la bataille de San-Borja, en 1865, pendant la guerre du Paraguay.

DRAPEAU DE CHARITÉ
Confectionné par les femmes d'une colonie anglaise à Rosario, en Argentine, ce drapeau porte les signatures de 750 souscripteurs à un fonds d'aide aux soldats blessés de la Première Guerre mondiale.

LE ROUGE DE LA RÉVOLUTION FLOTTE SUR L'URSS...

Avant la Révolution d'octobre 1917, le tsar russe Pierre le Grand a exercé une influence prépondérante sur les drapeaux de son pays. Il instaura la marine de guerre, et la dota de pavillons inspirés du rouge-blanc-bleu hollandais. Ces couleurs avaient déjà été utilisées avant son règne mais il fut le premier à ordonner un jeu complet de pavillons arborant le blanc-bleu-rouge. Plusieurs pays d'Europe de l'Est l'imitèrent en adoptant les mêmes couleurs. Avant la Révolution, il y eut beaucoup d'autres drapeaux en Russie : ainsi le drapeau civil de la Première Guerre mondiale, avec un canton jaune chargé des armes impériales. Il fut remplacé en mars 1917 par le drapeau rouge des bolcheviks qui allait être largement utilisé, couvert d'inscriptions, pendant la Révolution. L'avènement du nouveau régime imposa des drapeaux plus orthodoxes.

SYMBOLE D'UNE ALLIANCE
Plusieurs drapeaux prérévolutionnaires figurent sur cette peinture commémorant l'alliance défensive conclue entre la France et la Russie en 1892.

PIERRE LE GRAND
Artisan de la grandeur russe, le tsar régna de 1686 à 1725. Il créa la marine de guerre et les drapeaux de la Russie impériale.

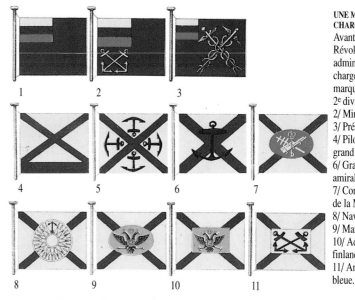

UNE MARQUE PAR CHARGE
Avant et après la Révolution, chaque administration, chaque charge possédait sa marque : 1/ Vice-amiral, 2e division; 2/ Ministère de la Marine; 3/ Préfet maritime; 4/ Pilote; 5/ Grand-duc grand amiral; 6/ Grand-duc grand amiral en second; 7/ Commandant en chef de la Marine; 8/ Navire marchand; 9/ Marine de guerre; 10/ Administration finlandaise des douanes; 11/ Amiral de l'escadre bleue.

SERMENT DE FIDÉLITÉ
Au moment de quitter la Russie pour aller se battre contre les Japonais, en 1904, le général Dragomiroff baise le drapeau en signe d'allégeance. Cette scène était le sujet d'images patriotiques populaires (p. 28).

Lettres peintes

LA PLUS GRANDE RÉPUBLIQUE
La République soviétique fédérative socialiste de Russie (RSFSR), la plus grande république d'URSS, adopta ce drapeau en septembre 1920. Les initiales en caractères cyrilliques représentent le nom de l'Etat. En 1954, ce dessin fut remplacé par celui qui existe encore aujourd'hui. Ce drapeau a été pris à Kronstadt, pendant l'insurrection des matelots contre l'Armée rouge.

Drapeau soviétique
flottant sur une Rolls

LA FAUCILLE ET LE MARTEAU
Fédération formée en 1922, l'URSS adopta son drapeau en 1923. Elle comprenait alors les républiques de Russie, d'Ukraine, de Biélorussie et de Transcaucasie : tout comme celles qui, par la suite, ont été intégrées à l'URSS, chacune possèdait son drapeau et ses armes. Aujourd'hui, tous sont basés sur le drapeau rouge de la Révolution, et presque tous portent l'étoile rouge bordée d'or, ancien emblème des bolcheviks.
La faucille et le marteau ont fait leur première apparition dans les armes de la RSFSR en juillet 1918.

AUX ARMES!
Cette affiche de la Seconde Guerre mondiale montre un soldat agenouillé avec, en arrière-plan, un drapeau aux armes de l'Etat de l'URSS : faucille, marteau, globe et épis de blé.

Drapeau de Tchécoslovaquie

Couleurs de la Roumanie

Drapeau letton

GARDES ROUGES
Durant les combats de rues, à Petrograd (aujourd'hui Leningrad), les gardes rouges révolutionnaires portaient des drapeaux rouges à leurs baïonnettes.

AFFICHER LES COULEURS
En vente courante, les insignes permettent d'arborer facilement des emblèmes nationaux et locaux.

... ET SUR LA CHINE POPULAIRE

Dans la pensée chinoise, le monde est divisé en cinq parties: le Centre (jaune), le Sud (rouge), le Nord (noir), l'Ouest (blanc) et l'Est (bleu). Chaque partie est représentée par un symbole particulier. L'Est, par exemple, par le dragon. En 1872, lorsque les Chinois adoptèrent enfin un drapeau national, il était naturellement jaune, couleur de «l'empire du Milieu» et de la dynastie mandchoue, et portait le dragon bleu de l'Est. Quand les révolutionnaires de l'armée s'emparèrent du pouvoir, en 1911, les couleurs traditionnelles, disposées en cinq bandes, constituèrent le nouveau drapeau national. Il resta en usage jusqu'en 1928 où on adopta celui du Kuo-min-tang, le parti nationaliste : un soleil blanc dans le ciel bleu sur un pays rouge. Encore en vigueur à Taiwan (p. 63), il a été remplacé, en Chine continentale, par le drapeau rouge de la République populaire.

PETITES ANNONCES
Les enseignes des commerçants chinois portent depuis longtemps des inscriptions.

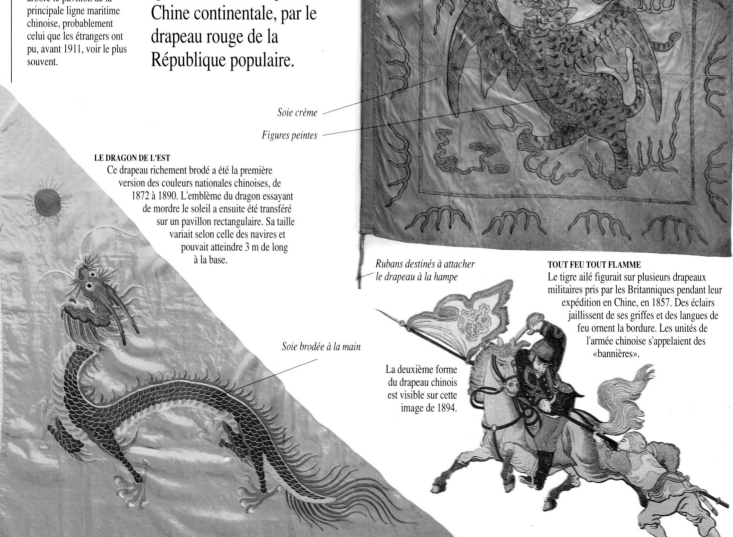

À BORD
Ce petit personnage chinois arbore le pavillon de la principale ligne maritime chinoise, probablement celui que les étrangers ont pu, avant 1911, voir le plus souvent.

Soie crème

Figures peintes

LE DRAGON DE L'EST
Ce drapeau richement brodé a été la première version des couleurs nationales chinoises, de 1872 à 1890. L'emblème du dragon essayant de mordre le soleil a ensuite été transféré sur un pavillon rectangulaire. Sa taille variait selon celle des navires et pouvait atteindre 3 m de long à la base.

Soie brodée à la main

Rubans destinés à attacher le drapeau à la hampe

La deuxième forme du drapeau chinois est visible sur cette image de 1894.

TOUT FEU TOUT FLAMME
Le tigre ailé figurait sur plusieurs drapeaux militaires pris par les Britanniques pendant leur expédition en Chine, en 1857. Des éclairs jaillissent de ses griffes et des langues de feu ornent la bordure. Les unités de l'armée chinoise s'appelaient des «bannières».

La grande étoile représente
le communisme.

Petite étoile représentant l'une
des quatre classes de la société

Les proportions du drapeau sont de 2:3 et le
dessin exact des étoiles a été spécifié : la
grande l'est trois fois plus que les petites, et
une branche de chacune d'entre elles est
dirigée vers le centre de la grande.

Champ rouge
pour la
révolution

LE DRAPEAU DE LA RÉVOLUTION
Le champ rouge du drapeau adopté en 1949
symbolise la révolution mais rappelle aussi le
peuple han – c'est-à-dire chinois. La grande étoile
représente le communisme, et les quatre petites les
ouvriers, les paysans, les petits-bourgeois et les
capitalistes patriotes.

PAVILLON DE JONQUE
Cette version ancienne du
pavillon au dragon provient
d'une jonque chinoise où
elle fut prise au XIXe
siècle, pendant la
guerre de
l'Opium.

Manche
de lin
avec une
languette

LES FORCES DU CHANGEMENT
Sur ce timbre figure le drapeau de
l'Armée de libération chinoise. La
date de sa fondation, le 1er août
1928, est stylisée sur le drapeau
rouge.

EN MARCHE
Des marins défilent dans Pékin en
portant de grands drapeaux rouge plain.

Bords dentelés typiques
des drapeaux chinois

CINQ CONTINENTS ANNONCENT LA COULEUR

Les dessins des drapeaux nationaux contemporains sont extrêmement variés. En voici 160, parmi les plus intéressants. Ils ont été disposés selon la géographie de chaque continent, du nord-ouest au sud-est. Il y a beaucoup de similitudes entre eux : de nombreux pays africains utilisent le rouge, le jaune, le vert et le noir, qu'on appelle couramment couleurs panafricaines; les pays arabes, eux, ont une préférence pour le rouge, le blanc, le noir et le vert. Il y aussi des drapeaux inspirés du tricolore français, de la bannière étoilée américaine et du croissant et de l'étoile turcs. Les drapeaux nationaux ont des formes diverses, depuis le drapeau carré suisse jusqu'à celui du Qatar, long et étroit. Ils ont tous été représentés ici à la même échelle.

DRAPEAUX DU MONDE
Les drapeaux en usage au XIXᵉ siècle étaient d'une grande variété.

AMÉRIQUES

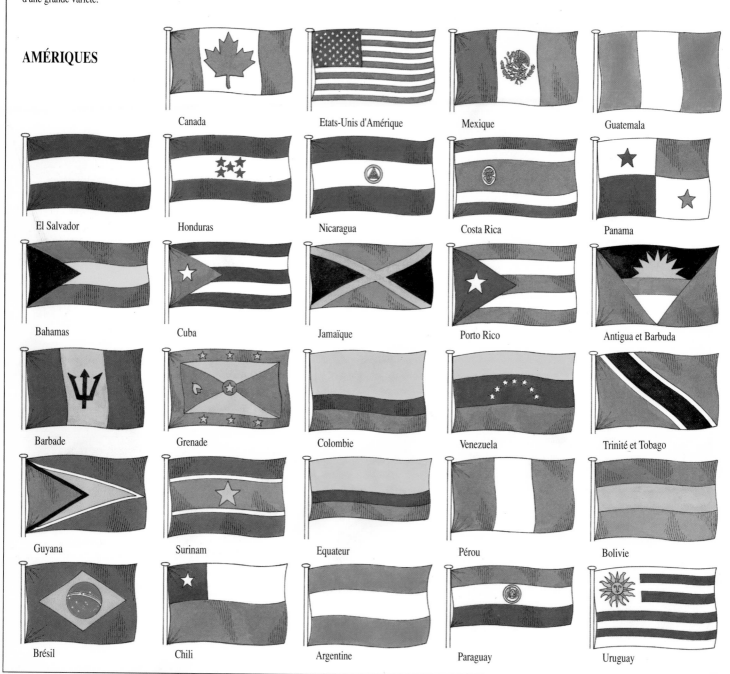

Canada

Etats-Unis d'Amérique

Mexique

Guatemala

El Salvador

Honduras

Nicaragua

Costa Rica

Panama

Bahamas

Cuba

Jamaïque

Porto Rico

Antigua et Barbuda

Barbade

Grenade

Colombie

Venezuela

Trinité et Tobago

Guyana

Surinam

Equateur

Pérou

Bolivie

Brésil

Chili

Argentine

Paraguay

Uruguay

EUROPE

Islande

Irlande

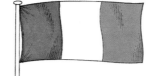
Royaume-Uni

Danemark

Norvège

Suède

Finlande

France

Belgique

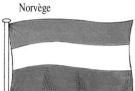
Luxembourg

Pays-Bas

République fédérale
d'Allemagne

République démocratique
allemande

Suisse

Lichtenstein

Autriche

Tchécoslovaquie

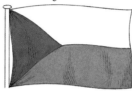
Pologne

URSS

Portugal

Espagne

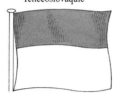
Monaco

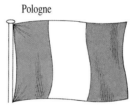
Italie

Yougoslavie

Hongrie

Albanie

Roumanie

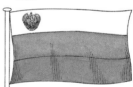
Bulgarie

Grèce

AFRIQUE

Maroc

Algérie

Tunisie

Libye

Egypte

Sahara occidental

Mauritanie

Mali

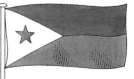
Burkina Faso

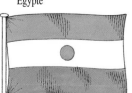
Niger

Tchad

Soudan

Ethiopie

Djibouti

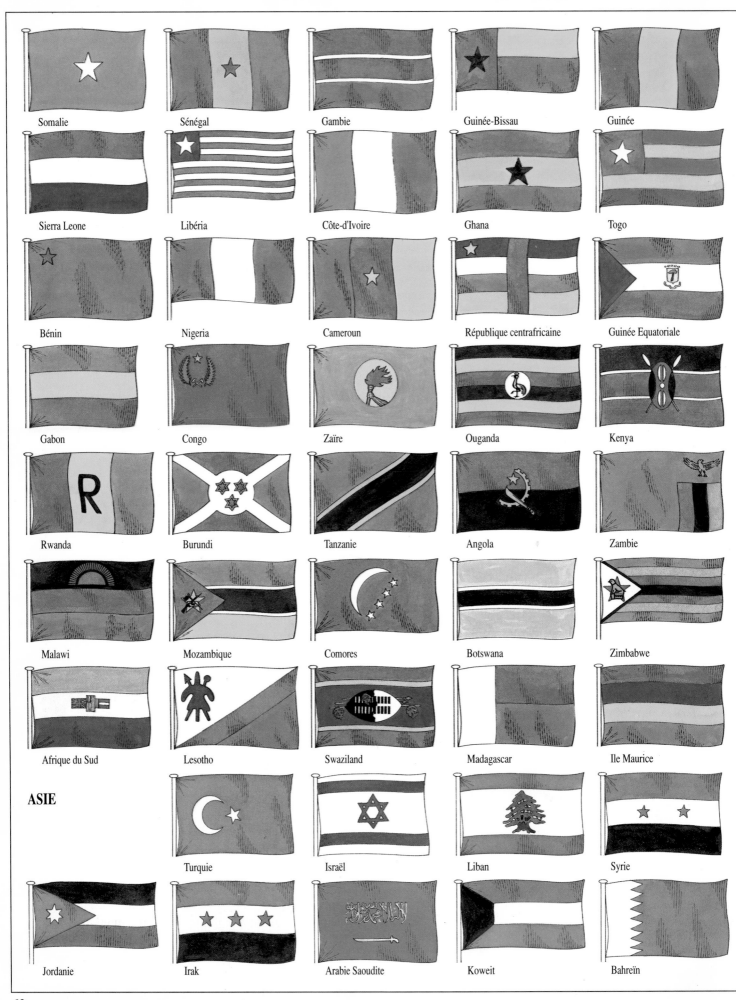

Somalie

Sénégal

Gambie

Guinée-Bissau

Guinée

Sierra Leone

Libéria

Côte-d'Ivoire

Ghana

Togo

Bénin

Nigeria

Cameroun

République centrafricaine

Guinée Equatoriale

Gabon

Congo

Zaïre

Ouganda

Kenya

Rwanda

Burundi

Tanzanie

Angola

Zambie

Malawi

Mozambique

Comores

Botswana

Zimbabwe

Afrique du Sud

Lesotho

Swaziland

Madagascar

Ile Maurice

ASIE

Turquie

Israël

Liban

Syrie

Jordanie

Irak

Arabie Saoudite

Koweit

Bahreïn

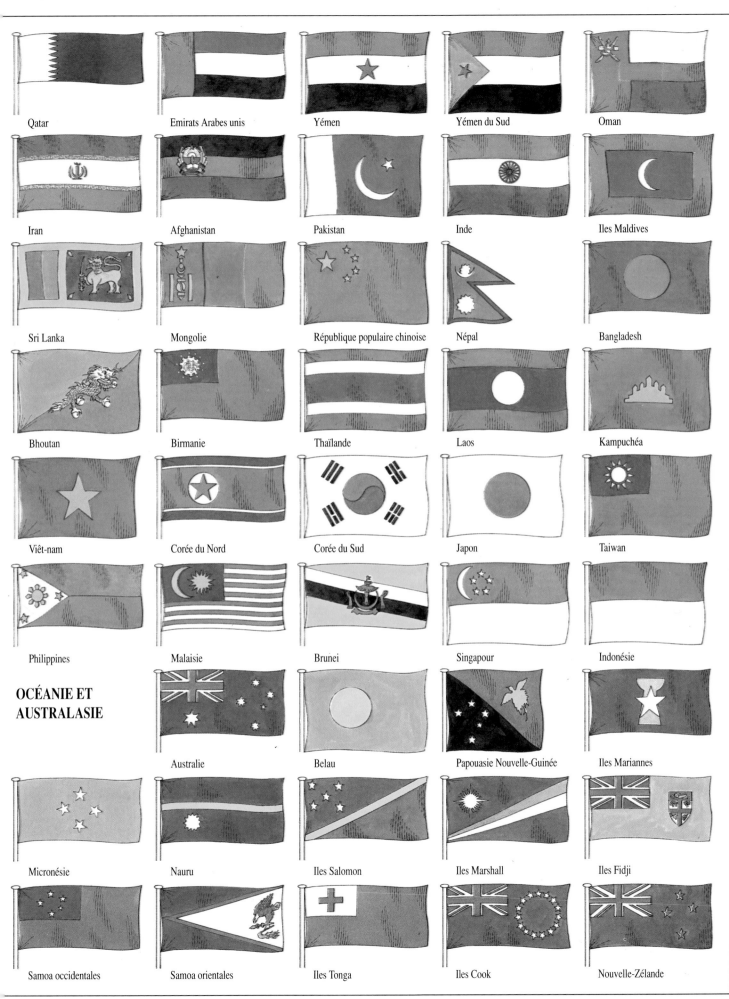

Qatar

Emirats Arabes unis

Yémen

Yémen du Sud

Oman

Iran

Afghanistan

Pakistan

Inde

Iles Maldives

Sri Lanka

Mongolie

République populaire chinoise

Népal

Bangladesh

Bhoutan

Birmanie

Thaïlande

Laos

Kampuchéa

Viêt-nam

Corée du Nord

Corée du Sud

Japon

Taiwan

Philippines

Malaisie

Brunei

Singapour

Indonésie

OCÉANIE ET AUSTRALASIE

Australie

Belau

Papouasie Nouvelle-Guinée

Iles Mariannes

Micronésie

Nauru

Iles Salomon

Iles Marshall

Iles Fidji

Samoa occidentales

Samoa orientales

Iles Tonga

Iles Cook

Nouvelle-Zélande

INDEX

NOTE

L'auteur et Dorling Kindersley tiennent à remercier :
pour le prêt des drapeaux photographiés : Barbara Tomlinson, David Spence, Jim Stephenson et l'équipe du National Maritime Museum; Sylvia Hopkins et le National Army Museum; Sybil Burnaby et le Herald's Museum; le College of Arms; le Royal Hospital of Saint Bartholomew; River Mill Flags; Turtle and Pierce Ltd; Black and Edgington Flags; Newitt and Co; John Eagle; Flag Institute.
J.P. Brooke-Little et R.C. Yorke pour l'information concernant l'héraldique.
Ray Allen du Imperial War Museum pour des informations et des photographies. Vicky Davenport pour ses conseils concernant l'élaboration du livre. Miranda Kennedy et Richard Czapnik pour leur aide graphique. Meryl Silbert. Fred Ford de Radius Graphics.
Ont collaboré à cet ouvrage :
François Cazenave
et Catherine Leplat

ICONOGRAPHIE

h = haut; b = bas; m = milieu;
g = gauche; d = droite

Bibliothèque Nationale, Paris : 10 bd
Bridgeman Art Library : 16 hg;
17 md; 18 m; 19 bg; 26 h; 26 mg;
26 bd; 36 mg; 46 hd; 46 md; 49 bg;
52 hd; 54 hd
British Museum : 8 hg; 12 mg; 36 hd
Camera Press : 18 bd; 21 m; 21 bd;
25 bg; 28 hg; 32 md; 32 bm; 32 bd;
33 bg; 38 m; 38 bg
College of Arms : 10 md; 11 hg;
18 hg
Colorsport : 20 hg; 20 hd; 20 bd; 54 b
Mary Evans Picture Library : 7 hg;
7 hd; 9 hg; 13 m; 14 m; 22 hg;
22 md; 24 hg; 30 mg; 30 md; 32 bg;
36 bg; 36 bd; 39 bg; 44 mg; 46 bg;
47 hg; 50 hg; 56 hg; 54 m; 55 bg;
58 bd
Gamma : 37 bd
Susan Griggs Agency : 34 bd; 35 md
Michael Holford : 8 bg; 12 hg
Robert Hunt : 13 md; 13 hg; 17 bg;
19 m; 23 hd; 24 hd; 24 m; 28 bd;
29 bg; 34 mg; 46 md; 52 bd ; 57 md,
57 bg
Imperial War Museum : 13 bd;
24 md; 28 bg; 29 bd; 30 hg; 47 bd;
55 bd
Popperfoto : 6 hd; 42 bg
Rex Features/SIPA Press : 19 hg;
41 bm; 44 bd; 47 mg; 51 bg; 53 bd;
57 mg; 59 bd
Science Photo Library/NASA : 25 bd
Frank Spooner Pictures : 18 md;
24 bd; 30 bd; 31 b; 50 bd
TRH/Tass : 23 m
US National Archives : 25 m

Photographie : Karl Stone
et Martin Plomer
Illustrations : John Woodcock
et Will Giles
Recherche iconographique :
Stasz Gnych et Angela Murphy